ENNIO FLAIANO

Diario degli errori

ADELPHI EDIZIONI

Prima edizione: febbraio 2002
Seconda edizione: luglio 2002

© 2002 ADELPHI EDIZIONI S.P.A. MILANO
WWW.ADELPHI.IT

ISBN 88-459-1686-3

INDICE

DIARIO DEGLI ERRORI   9

Appendice   135

DIARIO DEGLI ERRORI

Note di un viaggio in Francia. Aprile 1950

> Uno dei mezzi di seduzione più efficaci
> del Male è l'invito alla lotta, come la lotta
> con le donne, che finisce nei letti.
>
> Una gabbia partì alla ricerca di un uccellino.
>
> Kafka, *Considerazioni sul peccato*

[1]
Al Ponte S. Luigi sensazione di passare una frontiera letteraria. Il primo passante di Monaco che incontriamo è un ubriaco. Italiano. Accetta cento franchi.

[2]
Una signora al suo cane: «Casimir, où allez-vous?».
Insegne di negozi: «Au chien élégant», «Aux temps difficiles».

[3]
Rue Paul Valéry è un affluente di rue Leonardo da Vinci.

[4]
Da Gallimard. Paulhan, simpatico ma organizzatore. Di italiani, affetta di conoscere soltanto il filosofo Vailati. Queneau: calma leggermente affettata. Mi guarda con profonda indifferenza. È convinto che io non possa capire. È l'eroe di St. Germain des Prés, ha vinto un premio letterario con un libro pornografico firmato Sally Mara. Tuttavia, aria di serietà, di persona affezionata a un lavoro, che diventa la sua morale.

[5]
In albergo, sulla parete in capo al letto uno sposo in viaggio di nozze ha scritto: «La première folle!».

[6]
Visita a Cocteau. Ci parla di un film pornografico surrealista. Descrive con gioia infantile una scena in cui un giovane riceve sul viso un getto di sperma. Ride imitando la sorpresa e il piacere del protagonista. Quando ride somiglia a un giovane cronista che era al «Risorgimento liberale» e provo per lui un'affettuosa simpatia da scuole medie.

[7]
Bal nègre. Il nostro unico modo di essere cattolici, cioè universali, è sensuale. Sempre disponibili. Viaggiare come i salmoni e le anguille che viaggiano solo per depositare le uova. Mi getto anch'io nella mischia con una donna

della Martinica, piccola, grassa, vivace. Spinge avanti il ventre per eccitarmi e ride. Mi chiede se sono italiano. È stata a Roma, ha lavorato in un avanspettacolo al cinema Bernini.

[8]
Bal nègre. Due danesi anziane e ubriache. La correttezza che si degrada mostra le sue fragili barriere. Dopo il ballo vengono trascinate da due negri fuori del bar, attraverso la strada, accanto alla porta di un piccolo albergo. Come bestie restie al macello, le donne puntano i piedi, combattute tra il desiderio e la paura di morire. Escono dal ballo persone che ridono e incoraggiano le due donne, le quali infine vengono spinte dai felici rapitori su per le scale dell'albergo. Un curioso li segue e viene poi a riferire che dopo il coito una delle donne si è chiusa nel cesso in preda a un attacco di diarrea, unica forma di rimorso delle persone ben nutrite.

[9]
Musica del bal nègre. Lieve, spiritosa, sensuale per iterazione. Vecchi valzer tradotti nello stile martinichese. Il piacere prolungato sino al suo dissolversi, che non lascia tracce. Un grasso negro balla con innocenza. I bianchi al confronto sembrano laidi perché sanno di essere in colpa.

[10]
Al Tabou. Mi presentano Miss Vice e Miss Pompier. Tre giovani diciottenni sostano nell'atrio,

fanno parte del comitato del club. Il vizio nei giovani incute rispetto.

[11]
I Frères Jacques alla Rose rouge. La prima sera m'incantano. Nelle sere successive si scopre l'organizzazione professionale dei loro scherzi, sempre identici. Stabilita l'azione, non concedono più niente alla fantasia, all'umore, al divertimento proprio: ripetono con mostruosa esattezza. Ho visto Peppino De Filippo recitare quattro volte la medesima commedia con sempre nuove invenzioni. Egli stesso non ricordava certe felici battute della prima rappresentazione. Forse la nostra salvezza è nel non credere che la perfezione esista, o semplicemente nel trovarla noiosa.

[12]
Colazione sul lungosenna, vicino al Louvre. Arriva e siede al nostro tavolo il vecchio regista Colombier. Ha un copione, ce ne legge, ridendo fino alle lagrime, alcune battute brillanti che mi gelano il cuore. Sfoglia rapido il copione saltando da una scena all'altra. «Sentite questa!». Mots d'auteur, boutades... la stessa impressione in un negozio di robivecchi: gli oggetti che non si sono ancora staccati dai loro proprietari recentemente morti. Alla fine tace anche lui. È senza un soldo. Passa su di noi improvvisa e ci sfiora l'ala del fallimento.

14

[13]
Storia delle due ragazze negre condotte in uno
studio da due italiani. Uno di questi stappa
una bottiglia di profumo, vuole che le ragazze
lo annusino per averne un giudizio. Le due negre credono che le si voglia addormentare e
uccidere, fuggono e vengono riprese per le
scale.

[14]
La matura cassiera del bar accarezza il suo cane e sospira: «Les marronniers sont en fleur et
le printemps ne vient pas!».

Secondo viaggio. Agosto 1950

[15]
Attraverso un paese nella cui piazza deserta resta l'albero della libertà piantato per le feste di
luglio. La scritta di un cartello: «Hommage aux
étrangers», che mi commuove, ben sapendo
come i francesi li detestano.

[16]
Cortile dell'albergo di mattonelle bianche
smaltate e larghe strisce nere della polvere di
carbone. Le due brutte americane che dalla
finestra di fronte mi sorridono. Una dice:
«Paris is like in the books». Non capisco, deve
ripetere la frase più volte, infine la scrive su
un pezzo di carta che mi getta. È figlia di italiani.

[17]
Verso Valence un ragazzo che gioca da solo a guardie e ladri. Fa le due parti. Finge di sparare, corre e cade colpito dalla sua stessa arma, si rialza e spara. Corre ancora e stavolta cade ferito come gendarme.

[18]
Folla domenicale al Museo Grévin. Odore aspro di disinfettante che va in gola e vi resta. Un signore, seduto in un divano, nella penombra, finge di essere una statua di cera e resta immobile, mani guantate e riunite sul pomo del bastone, sguardo fisso al pavimento. Ha la pelle arida, la testa secca, con pochi capelli quasi finti. La folla lo attornia e ride. Qualcuno osa toccarlo, non si muove. Infine un ragazzo si accosta e lo scuote. Come un uccellaccio svegliato dal letargo, questo povero senatore Papirio fa il gesto di volerlo acchiappare e forse ne ha il desiderio. Tutti hanno un grido di allegro terrore. La luce del museo, da grotta. Mai così triste e disgustato.

[19]
Ma è in questa solitudine prossima al delitto che nascono i pittori e i poeti della domenica.

[1951]

[20]
La bontà delle mogli come rimorso insoppor-

tabile. Mogli cattive campano a lungo, mogli buone vengono uccise. Come far soffrire la madre buona e restare vittima della madre egoista. Rêver d'un juste milieu?

[21]
Facultatif Bar ad Aix en P.

[22]
Puisque ces mystères nous dépassent feignons d'en être les organisateurs. Cocteau.

[23]
Maggio. Di ritorno da Firenze, oltrepassata S. Quirico d'Orcia, la macchina si ribalta. Trascorro due ore in paese aspettando il camion che mi riporterà a Roma. C'è festa. La banda del Corpo Filarmonico locale composta di 23 suonatori tiene concerto in piazza. Programma: Bartolucci-Salve Umbria, marcia sinfonica; Verdi-Traviata, preludio atto I; Verdi-Rigoletto, fantasia; Renn-Venere, marcia caratteristica; Rocco-Canzoni napoletane dell'800. Un manifesto. Giornata della Misericordia – ore 8 messa; ore 10 distribuzione di distintivi ricordo col concorso dei Fratelli del Pronto Soccorso; ore 18 festa nel giardino dell'ospedale, col concorso del Corpo Filarmonico.
La porta della morte. Un'apertura accanto alla porta di casa. Murata. Il morto veniva fatto uscire da questa porta per impedirgli di ritornare. Alta 1,20 circa, larga 70 cm e 70 cm sopra il livello stradale. Ce ne sono alcune, sul corso.

I bombardamenti, scrostando l'intonaco di qualche casa, hanno messo in luce costruzioni del '300.
La Collegiata. Portale di Nicola Pisano. Nelle due bifore del secondo portale un ometto ridente. «Lo chiamano Marzo» dice il prete. Perché è allegro, scherzoso.
Palazzo Chigi. Il pianterreno ridotto a garage e a deposito. Paesetto italiano, insomma.

[24]
La noia e la malinconia aspettano dovunque si vada per divertimento, per cambiare. Solo il luogo dove viviamo non ci fa pensare alla morte, al fallimento, alla vecchiaia. Turismo, triste invenzione. Non c'è salute fuori della propria grotta. Stare fermi.
Turismo, impulso sessuale. Quando ci si conosce bene, da questo lato, inutile muoversi; oppure muoversi per lavoro, lavorando.

[25]
Anne H. Le mando un telegramma, dicendole di aspettarmi davanti al Casino. Triste attesa. Primi freddi dell'autunno, musica per flauto suonata in un ristorante. Antiche arie provenzali.
Turisti che guardano bene la lista e i prezzi prima di sedersi. Arriva Anne. Dice che sono un affreux bonhomme. Prima di lasciarmi, vuol vedere se sono alloggiato bene all'albergo. Sale in camera. La mattina dopo in una trattoria di campagna. Poi in un albergo di routiers. Mi

lascia alle quattro del pomeriggio in piazza, con un breve saluto. Sarei restato.

[26]
Triste ritorno in Italia, che mi appare un paese di giocatori di totocalcio. Squallore. Da Ventimiglia a Genova, grassa signora che chiede un passaggio. Forse vuol fare una marchetta. La lascio in un caffè di Genova, dopo aver preso un panino. Scrivo queste cose perché possono servirmi. Inutile abbondare in particolari.

[27]
«... Occorre che l'uomo, governato dalle proprie sensazioni, scopra nella virtù attrattive sensuali» (Pierre ai massoni in *Guerra e pace*, parte VI, cap. VII).

[28]
La plus part des choses que nous regardons avec indifférence (quotidienne) va faire partie de nos rêves (nous les gardons pour nos rêves).
Nous voyons pour l'avenir.
Les magasins des rêves s'ouvrent entre la veille et le sommeil. Le désordre des devantures est seulement apparent. Rien n'est exposé que n'est déjà approuvé (soigneusement choisi par nous mêmes).

[29]
Si battono per l'Idea, non avendone.

[30]
Famiglia romana con padre liberale e figlio maggiore comunista, minore fascista, zio prete, madre monarchica, figlia mantenuta: si sfidano tutti gli eventi.

Lyon, 1953

[31]
La camera dell'Hôtel d'Angleterre, dove tutti i mobili sono come nella tavola che sul Larousse accompagna la voce: camera da letto. C'è tutto, allo scrupolo. Finestra, plafond, chiffonnière, tapis, lampe, commode, tabouret, lit, guéridon, coussins, lavabo, cuvette, abat-jour, paravent, tutto, e nello stile del Larousse, 1890, solido, pretenzioso, affettuosamente volgare. Loro che si divertono a trovare il nome delle cose in francese e ridono. E poi si mettono a letto, come in un quadro di Magritte, per completare la scena e fanno l'amore male, come nel Larousse è previsto si debba far l'amore.

[32]
A Montecarlo, la signora dice: Pour inculer, il faut la graisse de cochon. Ne ha un vasetto nella borsa.

[33]
A Montecarlo, il vecchio veniva portato in fondo al corridoio e lasciato nella sua carrozzina davanti alla finestra. Era la sua passeggiata. Ve-

nivano i camerieri portando grandi carrelli carichi di cibo per le infermiere. Per il vecchio, un bicchiere di latte.

[34]
A Montecarlo, nel privé, un vecchio italiano giocava gettando soldi come coriandoli sul tappeto verde, con l'allegria di un uomo che ha risparmiato troppo e vuol disfarsi di tutto.

[1955-1956]

[35] Scrivere un racconto. *La tromba marina.*

L'ufficiale che fa il campo 18° fanteria
Il tram a cavalli che viene portato via dal vento
La supposta spia
La signora che ospita il bambino in casa
La grande pioggia e il vento che scoperchia i tetti
La paura
Il giorno dopo: lo stabilimento scoperchiato
si trovano bottiglie dappertutto nella spiaggia e nel mare. Aria di festa, sole netto
Un fiore a tutto questo, secondo quanto dice Goethe nel racconto *La Caccia.* La morale segreta, poetica. Certo è nel bambino. Nella sua attenta sorpresa.

[36]
Alberto Moravia, Renato Guttuso, Carlo Levi: tre casi di narxcisismo.

[37]

Una tardiva primavera scioglie la volontà, rallenta il ritmo, ci indica la strada del fallimento. Sono sbocciati, a gennaio, i fiori del pesco. Poi il freddo li ha uccisi, sono rifioriti a marzo, uccisi un'altra volta. Subito dopo è la volta dei glicini, mentre i primi papaveri nascono nei prati. A giugno fiorirà il ciclamino, la rosa, a luglio infine le grandi magnolie dirimpetto. E nel bel mezzo di agosto, una sera, risentiremo il soffio freddo dell'autunno – il segno della fine. Una sensibilità acuita al punto da fargli vivere l'intero ciclo della vita, ogni giorno e ogni anno. Il crepuscolo lo uccide, l'autunno lo rattrista. Non sa più godere le gioie delle stagioni e delle ore del giorno: in ognuna vede una allusione al tramonto. Agogna il meriggio e il sole pieno dell'estate, che sono la vita.

Bologna, aprile 1956

[38]

A quelli che invocano e ringraziano la Divina Provvidenza far notare che c'è una Divina Imprevidenza altrettanto vigile, quella che regola tutti i nostri errori, gli scontri ferroviari, i naufragi, i terremoti, le stragi degli innocenti, la follia infantile, la peste, le grandi e piccole catastrofi. Il Bene e il Male si equilibrano nel tempo, secondo la legge dei grandi numeri; o forse non esistono. Esiste un corso delle cose, che non è giudicabile.

Quando seggo al tavolo per scrivere non ho più idee, un momento prima erano tutte lì, in attesa, nella loro ipocrita disponibilità. Mi restano dei brontolii di tristezza, non più sentimenti ma risentimenti. E qualche presentimento. Poco o niente mi interessa, solo sentire un po' di musica, leggere qualche vecchio libro, passeggiare nella campagna di Monte Sacro. Roma mi respinge. Dappertutto una diffusa volgarità, facce che invecchiano senza grandi vizi, per una accettazione abitudinaria alla vecchiaia, come deve essere in un campo di concentramento. Viaggiare? Comincio a sentirne il fastidio: non cambierei d'umore cambiando luogo. I musei, le bellezze artistiche... Allora i buoni alberghi, le trattorie famose! Oh, il guaio dell'albergo, dove bisogna disfare la valigia, e ci si ritrova in un letto sconosciuto con i frivoli giornali e le riviste che abbiamo preso per viltà, per non restare soli. E le trattorie. Tutto bello, piacevole, all'inizio. A metà del pranzo l'incanto è sfumato, non resta che finire presto e andarsene. Ma dove, se tutto congiura contro di te? Dove andare? È la fine, sono già maturo per finirla con questa vita che è stata un seguito di sbagli, di esaurimenti nervosi, di guai. Finirla. Ma non ne sarò capace, lascerò fare al tempo, aspetterò la vecchiaia, il gran catarro, le cacarelle, i colpi. Diventerò avaro, sospettoso, indeciso, cattivo e sempre più annoiato. Odierò i giovani, il chiasso, la luce. Ma Roma, soprattutto, questa città che non mi riguarda assolutamente, che non riuscirò mai a capire, perché non mi piace. Non è una città, un bivacco sulle rovine, aspettando tempi migliori, che non vengono mai.

[40]
I grandi uomini sanno fingere una fede e un coraggio che in realtà non hanno. Nessun uomo che ha guardato in fondo, oltre la sua vita mortale, ha fede e coraggio: soltanto rassegnazione. Così certi coraggiosi si portano bene davanti al plotone d'esecuzione perché hanno capito che tutto è stato fatto – molto tempo prima. Sono gli uomini deboli che non riescono a salvare le apparenze. Così mio padre, che cominciò a temere la morte e si rattristò, incapace di reagire. Tutto gli sembrava inutile e indegno di considerazione, eccetto la vita, come a me ora. Nel '40 andai a visitarlo a Pescara, per fargli conoscere Rosetta. Era a letto, con lo scialle e il berretto da ciclista. Molto stanco. Per fargli coraggio gli dissi che aveva l'aria di uno che avrebbe campato altri dieci anni. Lo dissi con enfasi, a me dieci anni sembravano troppi, allora. A mio padre parvero una condanna, la breve dilazione di un attimo. Ricordo il suo sguardo di uomo colpito. Dieci anni – pensava – dunque non potrò averne altri... Furono le ultime parole che dissi a mio padre, non lo vidi che morto, tre anni dopo; e furono le parole più crudeli che abbia mai dette ad una persona. Non riesco a perdonarmele, nemmeno pensando che allora ero uno scioc-

24

co, che avevo la vita davanti a me e che mi sembrava enorme, lunghissima, da potersene davvero saziare.

A Fregene dal 13 luglio al 18 ottobre [1957]

[41]
Film di Fellini – La dolce vita – Esaurimento stanchezza – fine settembre e ottobre molto pesante. Per prossimo anno limitare il mare a luglio e agosto, primi settembre.

Le trasformazioni. Un romanzo dove i personaggi non hanno le normali avventure o le note traversie psicologiche, ma cadono *tutti* vittime di quelle trasformazioni che oggi si leggono sui giornali. L'eroina diventa uomo e l'eroe si scopre pederasta. La loro cameriera diventa attrice e viene ricevuta dal Papa. La puttana, ardente monarchica, fonda un circolo letterario e diventa senatore. L'ingegnere scopre la pittura e ci si rovina. Un vecchio ritorna bambino e s'innamora della maestra a cui lo affidano. L'eretico vede la Madonna, diventa conferenziere e finisce nella Cassa del Mezzogiorno. Una bambina scrive poesie e converte un bruto che voleva aggredirla. A sua volta il bruto, convertito, apre e dirige un collegio. Tutti – e questo è il bello del romanzo – sono infine felici, perché la felicità è nella trasformazione, nel *transito*.

[42]
22 agosto. Le belle evoluzioni dei 5 reattori sulla spiaggia. Ricordare quel pomeriggio quando dal teatro viaggiante l'altoparlante declamava il v canto dell'Inferno: Quali colombe dal disio chiamate – e vennero quattro reattori a fare evoluzioni. Bellissimo.

[43]
Chamfort: «L'homme arrive novice à chaque âge de la vie».
La Rochefoucauld: «Nous arrivons tout nouveaux aux divers âges de la vie, et nous y manquons souvent d'expérience malgré le nombre des années».
Probabilmente non è vero. Arriviamo delusi a ogni età della vita, perché potremmo fare (anzi ci viene offerto) ciò che ci sarebbe piaciuto in un'età precedente. Oggi rifiutiamo ciò che ieri ci avrebbe lusingato. Tutto, insomma, arriva tardi. Non parliamo poi della morte, che arriva quando non ci interessa più.

[44]
Dall'*Antipatico* di Maccari:
Alla rivoluzione
Inneggiano in salotto
Poi prendono il milione
Da Marzotto.

[45]
Contributo ad un dizionario del cinema:
Spaccadivanetti, viene chiamata la ragazza che

26

pur di fare del cinema è prodiga delle sue grazie coi produttori. I divanetti che spacca sono quelli degli uffici: perché li spacchi e come è chiaro.

[46]
Togliete all'italiano le case di tolleranza. Non gli resterà, per i suoi ricordi, che la vita militare.

[47]
Ricordo della Clinica Pediatrica nell'ottobre '55.
La corsia ospita venti bambini. Nel mezzo della corsia c'è un tavolo con un vaso di fiori. Stanotte è morto un bambino. Adesso un inserviente viene a portarselo via. È un uomo grosso, serio. Fa un pacchetto del piccolo cadavere e lo porta via, con quella delicatezza di cui soltanto gli uomini molto forti sono capaci. Passando accanto al tavolo, quasi senza fermarsi, toglie dal vaso un fiore e lo infila nel pacchetto.

[48]
Febbraio. La morte di un gatto, per la sua indifferenza, fu due volte sentita da me. Mi ignorò oppure volle nascondersi. Poteva venire, non venne, andò lontano, nel giardino della signora Fierli – e lì lo trovarono morto. Poteva venire da me, e forse mi attese, proprio il giorno che io chiusi la porta del giardino. Questo non posso sopportare – che un essere mi abbia atteso invano. Io Dio, per un altro esse-

re? Io, che non pensavo a lui o se ci pensavo era quasi con la crudele indifferenza di chi non crede alla morte?

[49]
La felicità consiste nel non desiderare che ciò che si possiede.

[50]
6 settembre. Mare stupendo. Vento di tramontana, sole caldo. Spiaggia deserta. Bagno forte e nuoto.

[51]
Gita a Ceri con Rosetta e Lelè. Si gira al 32 km dell'Aurelia al Fosso della Statua. Rovine di un castello del XII secolo. Nessun cartello indicatore. Bella pineta con due colonne – Alessandro Torlonia, anno 1855 – Strada pessima che si inoltra per 6 chilometri – sino a degli acrocori di tufo. Altra pineta, un casale, poi Ceri. Vista stupefacente. Vecchia stampa o illustrazione dell'Orlando Furioso. Paese chiuso in una cinta merlata. Su uno spuntone di tufo – Palazzo dei Torlonia in rovina – Piazzetta, a cui si arriva per una strada scavata nel tufo. Osteria, alimentari, macelleria. Chiesa restaurata. Statua della Madonna in ghisa nella piazza.
Pane appena sfornato. Padrona del negozio che invita a entrare e a sedersi. Niente luce elettrica. Casa acquistata per 400 mila lire, 15 vani. Prete in motoretta, molto giovane, che va a prendersi l'acqua alla fonte.

[52] *D'Annunzio, la Sabbia del tempo*

Come scorrea la calda sabbia lieve
per entro il cavo della mano in ozio,
il cor sentì che il giorno era più breve.
E un'ansia repentina il cor m'assalse
per l'appressar dell'umido equinozio
che offusca l'oro delle piagge salse.
Alla sabbia del Tempo urna la mano
era, clessidra il cor mio palpitante,
l'ombra crescente d'ogni stelo vano
quasi ombra d'ago in tacito quadrante.

[53]

Viviamo di ricordi e di immaginazioni. Queste,
per la futura attività. Tutto ciò che facciamo ci
sembra senza peso, evitabile, noioso. Quel che
abbiamo fatto si confonde con quello che vor-
remmo fare.

[54]

Non provo mai noia. Ogni momento ha qualcosa che mi attira. Niente è da buttar via. La luce, l'aria, le ore che si seguono. Calma, bellezza, profonda voluttà del Tempo.

[55]

19 settembre. Sulla spiaggia, con Lelè e Rosetta sino all'Arrone. Nessuno. Una donna che
prende il sole tra le dune. Mare vivo, azzurro,
freddo. Deliziosa sensazione di calma, di pace
finalmente raggiunta. Al ritorno, raccolgo con-
chiglie. Granchi morti, gusci di patelle. Medu-
se morte, ossi di seppia, alghe. Aeroplani che

corrono a coppie. Cielo levigato. Una barca grigio scura e rossa (a pezze) bellissima. Bambino che insegue una farfalla.

[56]
20 settembre. Da qualche giorno splendide giornate – sole vivo e cielo sereno velato caldo vibrante d'autunno – fine estate – da Toni guardando il mare. Silenzio, calma, una donna che prende il sole – volgare – ma una ragazza che gioca a pallone con un giovane. Bellissima, graziosa, quasi nuda, vascolare. Dare la grazia pura di questo spettacolo se possibile. Senza turbamento. Purezza.

[57]
Non c'è che una stagione: l'estate. Tanto bella che le altre le girano attorno.
L'autunno la ricorda, l'inverno l'invoca, la primavera l'invidia e tenta puerilmente di guastarla.

[58]
Preludi di Debussy. Meravigliosi confini raggiunti dalla cultura europea. Non esisteva che l'Europa, il resto del mondo incivile o coloniale o esotico. Oggi che l'Europa è finita si capisce la disperazione di questa musica che è arrivata all'estremo della malinconia e della grazia.

[59]
Il silenzio della notte. Finito l'abbaiare dei cani. Finito il ritorno dei gruppi che cantano in

coro. Il mare si sente appena come un treno lontano nella notte. La luna è ancora nascosta.

[60]
21 settembre. Ancora all'Arrone con Lelè e Rosetta. Leggero scirocco, cielo velato, poi sole e bagno rapido e vivo. A lungo sulla spiaggia. Dolcissima stanchezza. Vorrei scrivere un racconto sulla fine dell'estate. Arrivare con brevi episodi alla malinconia del tempo. Ma ricordare la calma, il silenzio, la pace – e l'equilibrio dei sensi e dell'anima. Questi sono gli attimi che dovrebbero fermarsi. Grandi fiori gialli selvatici portati da Rosetta.

[61]
28 settembre. Ieri è morto Longanesi a Milano. Mi dispiace molto. Era il più vivace e sincero di tutti. Non so quanto «fasto», quanta polemica ci fosse nella sua attività, ma era buono. Mai «personale» nei suoi rancori, né mafioso. Ammirava l'intelligenza degli altri, ha fatto molto per molti. Lo ricordo per la semplicità con cui a Milano nel dicembre del '46 mi disse: «Perché non mi scrive un romanzo?». Mi misi a ridere ma lui diceva sul serio. Lo scrissi.

[62]
9 ottobre. Magnifico bagno. Solo. Lavorato ai *Giorni della Sirena.*

[63]
16 ottobre. Ultimo bagno. Solo sulla spiaggia,

sto in acqua, vedo arrivare un uomo che mi guarda e si ferma sulla riva ad aspettarmi. Quando esco dall'acqua, dice: «Il Signor Flaiano?». Mi aspettano a Roma alle 3 per una proiezione di un film polacco – *Eroica* – Conosco il timido Munk e sua moglie, un'Ofelia invecchiata e palpitante. Fine dell'estate. Ritorno a Roma verso la fine della settimana?
Le soir, cafard très fort.

[Ottobre 1957]

[64]
L'attrice non sa recitare, ma in questi giorni è molto occupata. Deve finire alcuni quadri per la sua mostra personale, rimettere a nuovo l'appartamento, trovare un editore per il suo romanzo e infine tentare il suicidio. Le riuscirà?

[65]
(Il pane di Ceri). Si arriva a una certa età nella vita e ci si accorge che i momenti migliori l'abbiamo avuti per sbaglio. Non erano diretti a noi.

Parigi, 2 settembre 1958

[66]
Un clochard sulle griglie del Supermeg, rue de Rennes, da dove viene il caldo fiato dei sotterranei. Ha una bottiglia di vino, etichettata.

Giovane, biondo, occhi azzurri, l'occhio blu di Rimbaud.

[67]
Lipp: la decorazione in maiolica firmata L. Fargue. È il padre del poeta Léon-Paul Fargue. La volta, circa 1923, donne negre (la *negresse* erotica).

[68]
Le madri nella letteratura francese. La madre di Proust, la madre di Renard, la madre di Gide, di Larbaud, di Léautaud. Tutte in corrispondenza col figlio. Proust parla sempre della sua colite: correspondance avec ma merde.

[69]
Bonjour stronzesse!

[70]
Ciel grand ouvert – tempête. Il pleut sur la ville et sur le centenaire de Baudelaire...

[71]
Spectacles: Irma la douce, la Famille Hernandez.

[72]
Il cattolicesimo in Francia è un movimento letterario.

[73]
In Italia i perseguitati non fanno fortuna né suscitano simpatie, perché sono deboli.
L'italiano è profondamente realista (biologicamente) cioè profondamente naturale. Può apparire vile, è soltanto troppo inserito nella natura. E gli animali assalgono il più debole, i vecchi, quelli che non possono più difendersi. Accettando la realtà crede di fare il suo bene, prolunga invece la sua schiavitù.

Settembre – ottobre 1958

[74]
Cielo terso del tramonto. Un reattore divide il cielo in due – pazientemente.

[75]
Funerale di campagna a Maccarese. Sole. Campi bagnati dalla rugiada. La morte in campagna ha un odore più forte ma più sano, come l'odore dello stabbio, che l'aria rende vivo e fonde agli altri effluvi della terra.

[76]
Partenze. Restiamo soli. Al mare, pomeriggio di mercoledì 7 ottobre. L'onda lunga e pigra del vento che cala. Una coppia di americani col bambino. Camminano lungo la riva, componendo un quadro nel gusto dei fotografi della *Family of man*. Sole all'orizzonte. Troppo cul-de-lampe.

[77]
Difficoltà di scrivere elzeviri. Non so che cosa scrivere, né per chi. Come intavolare una conversazione a un cocktail. La gente è avida di cose «vere», non sa più che farsene dello pseudo letterato di professione, che giudica e interpreta gli avvenimenti o la sua stessa vita. Ci vogliono notizie. Il pubblico segue la vita dei suoi eroi o simboli quotidianamente, scaricandosi di ogni responsabilità o soltanto della fatica di fare le cose che loro fanno e che egli vorrebbe fare, ma non osa.

[78]
Il successo delle puttane esemplari è un rimorso di generosità collettiva.

[Foglietti olandesi. 1958]

[79]
23 ottobre – giovedì. Partenza alle 18 da Roma – arrivo 21.40 ad Amsterdam. Le Alpi nevose. Case (luci) isolate. Zürich – il lago dei 4 cantoni, poi la Ruhr e Amsterdam. Bellissima – cordiale-caldo-scirocco (?).

Usciamo. Canali case del 1600 – stupende. Quartiere delle prostitute. Ognuna nella sua casa, in vetrina. Leggono, prendono il caffè e ascoltano la radio – Non molto belle, nordiche senza Rubens. Poi in una sala da ballo. La ragazza proprietaria che ha fatto un giro in Italia. Venezia-Genova-Finale Ligure. Venezia le

piace. A Genova ha comprato un anello. Italia? Volare, oh oh!
Poi all'Eden, tabarin di pederasti e lesbiche. Aria di gaiezza, innocenza, ballano stretti, ridendo, facendosi la corte. Un po' di noia. Giocato ai biliardini.
Due lesbiche che si accodano per sigarette e birra. Tristezza.

[80]
Amsterdam. Ogni volta fuori d'Italia, lo stesso discorso. Siamo rimasti tagliati fuori nel Sei e Settecento quando qui si stampava Voltaire e d'Alembert e da noi non si stampava che l'Arcadia.

[81]
Come Ginevra, punto di resistenza. La stessa aria di libertà conquistata, le stesse donne gli stessi uomini, ricchezza, interessi culturali. Case sempre belle – interni da pittura, luce calda.
Le facciate nere, le finestre bianche.
Le facciate differenziano la proprietà. Il corpo della casa è semplice, un granaio a due o tre piani, con scale strettissime (per risparmiare spazio, architettura marina). La facciata (soprattutto il timpano) semplicità curiosa sempre con eccellenti risultati.

[82]
Case storte per il cedimento del terreno di riporto sulla diga.

Influenza del Palladio sugli architetti locali e pittori che venivano in Italia, vedutisti.

[83]
Italia all'estero: Seta pura, Importé d'Italie, Modello Storm originale, Un cimbalino, Panna montata, Fino Mokka, Original Italienische Stiletti (3 coltelli).

[84]
Sabato 25. Meravigliosa gita al mare, paesetto tra le dune, spiaggia enorme, bassa marea mare grigio dune cintate perché la gente non vi cammini sopra, paesetto bellissimo, coperto dal vento del Nord, case visibili nell'interno, come mostre di mobiliere. Poi l'Aja. Città vecchia, fine. Ristorante Formosa con le cameriere che quando non servono stanno sedute, ognuna nel suo angolo.
Museo Mauritius. Bellissimo Vermeer (veduta di Delft, splendente di luce) il vero maestro di Van Gogh. Tecnica a stesure limpide, di colore puro con macchie di luce aggiunte. Non si capisce niente se non si vede. Compro la riproduzione per ricordo ma è meno che niente. Rembrandt, il ritratto, la madre, la donna che si lava (piccolo) e poi De Hooch, la casa col muro rosso. Visita in fretta, per l'olandese che aspetta nell'auto sentendo la radio.
Sui campi, mucche con la coperta di lana legata addosso. Pecore grandi quasi come le mucche. L'olandese beve latte. Gli piace moltissi-

mo. Rimane sorpreso e felice quando gli facciamo l'elogio del suo Paese.

Il meglio dell'Europa. Un popolo che ha navigato, che ha pittori e filosofi, architetti. Pochi musicisti, pochi scultori, pochi poeti. Il portiere dell'albergo: «Oui l'Hollande est belle, mais nous n'avons pas de montagne».

La sorella dell'olandese, che parla italiano: «Vi piace Olanda? Ma no, è brutta». Tuttavia felice del nostro entusiasmo. Altra sorella che dice, congedandosi: «Quando volete *andare* siete benvenuti». E scappa. Forse l'italiano per loro è una specie di diavolo.

I gabbiani che vengono sul davanzale a prendere il pane.

[85]
Jeannette, puttana che è stata due mesi a Pescara, incantata del sole (Toujours le soleil, vous savez! Toujours!) che resta male quando gli dico che l'Olanda è bella. Sorpresa. Ma come, dopo Pescara, venite a farmi l'elogio dell'Olanda?

[86]
Il Van Dyck, ristorante sul lago. Acqua marrone, paesaggio all'infinito. Le strade perfette.

Scheveningen, spiaggia dell'Aja. Il tentativo di fare una cosa allegra, che risulta tetra. Non è bella, alta sulle dune, ma brutti palazzi, speculazione di hôtels, negozi chiusi, etc. Viareggio quando piove, ma forse più tetra.

Il bastimento svedese *Sunnaland* (?) bianco,

con le alberature gialle, in piena campagna, come un enorme souvenir.

Terza serata al tabarin dei froci. Sabato sera, pienissimo. Volare! Torero! Un signore anziano, capelli bianchi, balla con un cinese, giovani abbracciati, un uomo che bacia a lungo (in un angolo) un giovane. Molte persone serie, industriali, banchieri. Ragazzi, ma per lo più della buona borghesia. Non c'è l'orgoglio del vizio quanto della categoria. Froci aziendali. Poche ragazze lesbiche, brutte, familiari, che ballano tra loro. È superato ogni disagio, si divertono, come al dopolavoro di una buona società. Canzoni cantate sempre da voci maschili, o da voci «bianche», mai da voci femminili.

Ressa alla toilette. Un signore sui 40 che si incipria, serio. Qualche negro, malesi, indonesiani (due, piccoli, che ballano stretti). Alla porta due signori anziani, pancioni, che si fanno fare la tessera del club.

Venerdì, su un ponticello, un signore con un altoparlante che scacciava stormi di uccelli dagli alberi. Trasmetteva un disco di voci di gabbiani per spaventarli.

Perché un italiano ad Amsterdam? La prima domanda: Siete imbarcati su una nave?

Temperatura sempre buona. Nubi basse, cielo grigio. Di buono, nei ristoranti, l'anguilla affumicata, *paling.*

Passeggiata nella via dei negozi che ricorda Chiaia.

26, domenica mattina. Leggera pioggia. Silenzio. La città con le case nere filettate di bianco. I legami con l'Italia, col mondo mediterraneo, sono di 4 secoli fa, ancora risentono della «scoperta» dell'Italia rinascimentale e poi della lotta per sganciarsi dal potere papale. La loro pittura, nel «genere» è di vita libera, intima. Famiglie riunite, feste, personaggi cittadini importanti, donne, bambini infagottati, e paesi, il loro paese piatto col gran cielo a 180 gradi. Non sono retorici, guardano le cose, scoprono la luce. Non hanno monumenti che non servano a qualcosa. La Oudekirk vecchia chiesa con cupola all'italiana, circondata da pubblicità luminosa. Sopra, la croce al neon. Sono portati a capire gli altri e a un certo controllato umorismo. Il cameriere non si stupisce se si ordina un piatto che non è nella lista, cioè un misto di alcuni piatti. In Svizzera, sì! La felicità delle classi medie, nei paesi ricchi è insidiata dalla noia, ma qui è ancora difesa da una certa pazzia.

Al Lucky Star, sala deserta. Pareti blu e rosso cupo, che aumentano il buio. Pochi che ballano. Una ragazza sui ventidue, molto carina, bruna, balla con un giovane poi torna al suo tavolo e bacia un ragazzo sui quindici anni, che si lascia baciare, come un fratello.

«Le donne qui» dice un olandese «hanno i piedi a terra. Non sono romantiche, né mitomani. La storia di una ragazza che si innamora in un giorno è poco plausibile».

[88]
La Banca di Amsterdam sembra un carcere.

[89]
I fiammiferi sono Lucifers.

[90]
Scrittore matriottico, chi per la matria muor vissuto è assai.

[91]
3 novembre. Mondrian, pittore realista. L'Olanda è come Mondrian la dipinge. L'equivoco è nel credere che Mondrian sia un pittore astratto. Case bianche o nere, con strisce bianche o nere e finestre rosso e blu. Linee orizzontali del paesaggio. Canali, strade, dighe. Gli olandesi rendono astratto il formaggio dipingendolo di rosso.

[92]
Ogni tanto il cuore che si affanna e fa sentire la sua presenza. Non riesco a tener bene la penna e a scrivere con la sicurezza calligrafica di un tempo. Profonda angoscia di non so che cosa. Quando rido mi vien voglia di piangere.
La società, o compagnia degli altri, è un vizio che ci si può togliere, ma si resta soli. Non si torna in compagnia quando si vuole. O sempre, o mai.
La famiglia del nuovo Papa, con le stesse facce della famiglia Dominici. La faccia non serve più a indicare niente. Lombroso sconfitto. Gli

assassini hanno anche facce angeliche e gli angeli facce mostruose. La faccia non è più lo specchio dell'anima.

[93]
Indulgenza per la gente che si comporta male. Il Massimo Baldassari che ammazza una donna (la sua amante) per rubargli la busta dello stipendio e quattro gioielli e poi, scoperto, obbliga sua moglie e suo figlio a morire con lui (si salvano tutti) – anche lui suscita simpatia e compassione: è un poveraccio.

Chi non suscita né simpatia né compassione è l'uomo medio, onesto e senza grandi inclinazioni al male. L'uomo che lavora per tirare avanti, che mette su famiglia e la mantiene. L'uomo medio è antipatico. (Io sono antipatico. Mi si sopporta). Per diventare simpatico bisogna comportarsi da canaglia, per farsi amare bisogna farsi mantenere. È l'equivoco erotico che continua. La pietà verso il sesso sostituisce i sentimenti. Il malvagio dà quelle garanzie sessuali che la persona per bene non dà. Le azioni contro la morale e la società sono sintomi di vigoria e di disinvoltura sessuale in chi le compie. Temperamento! Chi si comporta rettamente ammette la sua « ordinaria » attività sessuale e non interessa. (L'aspirazione delle donne è di fare le puttane).

[94]
Rossellini. L'incontro è sulla porta del Raphaël. Dobbiamo vederci e parlare, mi telefonerà l'indomani. Difatti telefona. Appuntamento alla

mezza alle Alpes d'Heuzes. Viene con i tre bambini di Ingrid, il primo figlio Renzo, le due governanti. Tutti insieme a tavola. Parla dell'India, da me sollecitato. È in buonafede e racconta cose molto belle. La famiglia indiana nello spiazzo della foresta: un uomo, due mogli, sette bambini. Vivono allo stato selvaggio, hanno acceso un albero, come un grosso fiammifero e la notte coprono la brace col muschio. Forse è l'equivoco del buon selvaggio, ma la storia mi commuove. Cosa fanno quegli indiani, soli, nella foresta? Pensano a Dio, non sono toccati dalla schiavitù contemporanea, che viene esercitata da un gruppo di pochi su tutti gli uomini. L'umanità costretta a pensare alla sua felicità in termini erotici: stampa, cinema, televisione. Patriottismo erotico, politica erotica (di aggressione e conquista). Gli indiani, prima che arrivassero gli inglesi, credevano che la terra fosse di tutti, come il mare. Non esisteva la proprietà terriera. Eccetera.

Arriva Fabbri. Poi usciamo. I ragazzi e le governanti al cinema, noi in albergo. Rossellini parla di sé e di Ingrid, che si è fidanzata. Teoria che le donne oggi non sono più puttane, ma «fidanzate». Si fidanzano tutte. La stampa esalta la vita e le opere di queste «fidanzate» eterne, che passano da un uomo all'altro come una volta le cortigiane.

[95]
La morte procede per allusioni. Comincia col togliere il gusto di certe cose, restringe il cam-

po degli interessi, porta verso la solitudine. La bara come soluzione finale.

[96]
Andando avanti ci accorgiamo che siamo cascati nel tranello. La vanità ci faceva pensare di essere diversi. Quando la vanità ci abbandona si conclude che tutto è stato fatto e che non c'è niente da aggiungere. Dopo ogni viaggio, in cui mi sono illuso di interessarmi di qualcosa, di capire, di arricchirmi, mi accorgo che sono affondato di un altro centimetro nelle sabbie mobili. Non bisogna muoversi.

[97]
C'è una forma di pazzia che consiste nella perdita di tutto, fuorché della ragione. (Frassineti)

[98]
L'intelligenza non basta, se manca la pressione.

[99]
4 novembre. Da Fellini, aria di naufragio. Ma io mi diverto solo quando le cose non vanno a gonfie vele. Il disastro rivela gli uomini. I topi scappano e hanno anche loro ragione, perché della nave non gli interessa che la regolare navigazione, la routine.
Poi, al cinema. Melenso film con Clark Gable e Doris Day. Regia di G. Seaton. Tipica moralità americana sulle arti e i mestieri. Emerson li ha rovinati, facendo tutto facile. Il giornalismo deve essere di formazione o di informazione?:

ecco il dilemma. Finisce che si mettono d'accordo. Formare e informare. Io penso invece che il giornalismo e in genere la rapidità di diffusione delle notizie inutili e mostruose è il danno maggiore che l'umanità sopporta in questo secolo. Si sa tutto di tutto. Che noia. E che tristezza.

[Parigi 1958]

[100]
Per chi abita come me, un po' fuori mano, andare a Parigi è come andare al centro. Con l'aereo ci si mette anche meno. Giorni fa sono rimasto due ore imbottigliato sul cavalcavia ferroviario della Nomentana e quando ho potuto liberarmi sono tornato indietro: m'era passata ogni voglia di vedere gli amici. A Parigi invece si scende, lasci la valigia all'albergo, vai al Flore, ai Deux Magots e sei arrivato. Al Flore trovi Marcello Pagliero, ai Deux Magots Sandro Volta. Pagliero sta leggendo il «Corriere della Sera», e Sandro Volta «La Stampa». Ci si saluta come se ci si fosse lasciati la sera prima. Che si fa a Roma? Be' – viene spontaneo rispondere – niente. E per quanto cerchi nella memoria, non ti viene altro da aggiungere. Viene l'ora della colazione: c'è l'imbarazzo della scelta, ma si finisce da Lipp, a due passi. I librai aprono alle due e chiudono alle sei. Quando infine torno all'albergo, mi accorgo che ho avuto una giornata piena, senza grandi

spostamenti, senza telefono, senza macchina e la sensazione di stare in provincia. Gli autisti dei taxi aprono lo sportello davanti e vi fanno sedere accanto a loro. La prima volta non ho capito, poi m'è parso giusto: si potevano scambiare quattro chiacchiere. Alle otto ritorni al Flore, poi passi al Village: lì trovi Pagliero e Sandro Volta. Si chiacchiera come in villeggiatura. Il bar è in penombra, la radio tenuta bassa trasmette musiche jazz del quartetto moderno, che mettono quella leggera euforia fatta di melanconia e di irresponsabilità. A un tavolo accanto Jean Genet che si ricorda ancora di un suo viaggio a Roma e di una discussione con Mezio. Lo conosce? È un mio amico. Poi viene il giovane scrittore Anselme, una testa arguta e smilza su un gran corpaccione e ti parla dell'Italia. Fuma il toscano, tanto per capirci. Ci ritroviamo alle tre di notte lungo le strade deserte a parlare di letteratura dell'Algeria e degli intellettuali. Lunghe soste, ricerca di un bar aperto, dove trovare le sigarette.

E a Roma, a Roma che si fa? – A Roma? Niente.

[101]

Davanti a un magazzino di rue de Rennes, sulla griglia del marciapiedi, dalla quale esce il tepore dei caloriferi, siede alla turca un vagabondo dai capelli rasati, l'oeil bleu, l'occhio franco e minaccioso del vagabondo che conosce i suoi diritti. A portata di mano, isolata sul marciapiedi, come unico arredo della sua mobile abitazione, ha una bottiglia di vino comune, ma etichettato. Sta parlando con un altro vagabondo, sdraiato come Paolina Borghese, sull'altra griglia, a cinque o sei passi. Parlano con calma, ad alta voce, in un arrotolio di parole strette e incomprensibili. Anche l'altro vagabondo ha la sua bottiglia di vino, messa davanti come un bicchiere. La gente passa, passa anche un agente, senza guardarli, passano due giovani scapestrati gridando Buonasera, passano tre bambini. Le due bottiglie, invitante bersaglio, restano in piedi. Perché uno spettacolo simile sia possibile, occorre il rispetto della libertà degli altri. A Roma non sarebbe durato molto. La guardia avrebbe preteso vedere i documenti, i tre ragazzi si sarebbero fatto un dovere di rovesciare almeno una delle bottiglie, fingendo di spingersi e di cadere, i due giovani scapestrati, imitando Alberto Sordi e fingendo dapprima un grande interesse per la marca del vino, sarebbero fuggiti sghignazzando e portandosi via quei miseri litri. La gente, poi, avrebbe detto: «Ecco che si deve vedere a Roma. Mussolini non avrebbe permesso». Ma il sale di una civiltà sono i vagabondi. Quando essi godono il rispetto che si deve al più debole è segno che il rispetto per le altre libertà funziona.

[102]
La battaglia contro l'alcolismo prende accenti birichini. Ormai si strizza l'occhio al bevitore, si cerca un terreno d'intesa. Sulle vetture del metrò, i cartelli non dicono più: L'alcool ucci-

de lentamente. (E sotto i passeggeri ci scrivevano: Non abbiamo fretta). Ora i cartelli dicono: Non più di un litro di vino al giorno. Oppure: Bevete con misura; e per rendere chiaro il consiglio, un metro da muratore si avvinghia a una bottiglia. Sono immagini perfette. Un litro al giorno, un metro lineare: il sistema metrico decimale è un discorso che i francesi apprezzano, se non altro per la sua chiarezza. Dite ad un francese: «Facciamo quattro passi», non vi capirà. Vorrà sapere dove e quando. Ditegli di non bere o di bere poco, lo mettete nell'imbarazzo. Ma un litro, che equivale un chilogrammo di peso e un decimetro cubo di volume, questo è un discorso scientifico e quindi chiaro.

[103]
Freddo e vento sul Boulevard de Clichy. Le baracche dei giochi sono deserte. Una soltanto mi sembra affollata e un tiro alla carabina, senza premi, acconciato come un palcoscenico. Con cinquanta franchi si sparano dieci colpi e si possono mettere in moto, colpendo il bersaglio (un puntino rosso), varie scene di burattini. Sono scene di supplizi. C'è il capestro, la decollazione, lo squartamento, la fucilazione. Basta colpire il centro di ogni quadretto e la scena si anima per qualche istante in un balletto macabro e legnoso. Il condannato viene preso, impiccato, i frati levano le croci al cielo, il boia toglie lo sgabello, ecco il burattino che precipita in un sacco. I burattini sono pesti e

ammaccati dal lungo uso. Il pezzo centrale, il più difficile a colpire, mi sembra, è la ghigliottina. È montata in una piazza e in fondo c'è la porta della prigione. Sulla porta il puntino rosso che bisogna colpire. C'è un ragazzo sui dieci anni che sta tentando da qualche minuto. Spara con calma, mirando a lungo. Infine ci riesce. Si apre di scatto la porta della prigione ed esce un lugubre corteo. Il condannato, le mani legate dietro la schiena, è circondato da due guardie e tenuto dagli assistenti del boia. Il Prete si fa da parte e con estrema rapidità il condannato viene posto sulla ghigliottina, scende la mannaia, la sua testa si stacca e cade nel paniere. I burattini sono vestiti di nero, di rosso, di blu, come nelle copertine del vecchio «Petit Journal Illustré». Sarà stato il freddo e il vento, la calma di quel ragazzo che non rideva nemmeno e che riprese a sparare per vedere l'impiccagione, e in fondo la serietà di tutti quelli che assistevano e la losca bonomia del padrone della baracca, ma c'era da stare poco allegri. La morte in Francia è una cosa che può essere data dallo Stato, è quindi nella mitologia popolare, forma il fondo della serietà dei giovani, che ci scherzano sopra, ma vogliono vedere come funziona.

[104]
Un'ora alla Mostra del ritratto francese ordinata all'Orangerie. È il ritratto francese da Watteau a David, ma c'è un solo Watteau e un solo David: del resto [molto belli]. Così è Chardin

che trionfa, con cinque pezzi famosi (in quest'epoca di riproduzioni), ma di cui nessuna riproduzione darà mai la profonda, modesta bellezza. Era figlio di un falegname e nella sua pittura si sente il lavoro fatto bene, con calma, i fondi lasciati asciugare e poi velati, il pennello tenuto con mano ferma alla ricerca di una verità familiare e meditata a lungo. Chardin affascina perché è l'artigiano illuminato che diventa poeta. Nel ritratto galante, di corte, di prestigio egli porta il suo discorso pesante e acuto. Mi fa pensare a Beniamino Franklin alla corte di Luigi XVI. Se si dovesse cercare poi un denominatore comune ai ritratti di questa mostra, direi il sorriso dei personaggi ritratti. È il sorriso acuto, ironico, cortese dell'Illuminismo. Il sorriso di d'Alembert, di Diderot.

4 novembre 1958

[105]
Quand nous ne sommes plus des enfants, nous sommes déjà morts. (Brancusi)

[106]
Se noi dobbiamo risvegliarci una volta e riprendere lo spirito di nazione, il primo nostro moto dev'essere, non la superbia e la stima delle nostre cose presenti, ma la vergogna. (Leopardi, vol. II, p. 228)

[107]
Soggetto per un atto unico: Chi siamo? – Una signora invita alcune persone di cui non sa nulla, per compiacere il marito. S'informa sul Chi è? Poi sbaglia ogni riferimento.

[108]
Se il serpente morde prima di essere incantato, l'incantatore diventa inutile. (*Eccl.*, 10, *11*)

[109]
Ogni amore è un malinteso, poggia su una serie di malintesi.

[110]
Con i piedi fortemente poggiati sulle nuvole.

[111]
Regola generale: quando scrivi un articolo, un racconto, un pezzo qualsiasi lascia correre *almeno* due giorni prima di spedirlo. Ricordati che niente ti avvilisce di più e ti toglie il gusto di scrivere come veder stampata una cosa inesatta, che con un minimo di pazienza, senza fretta, avresti potuto rendere migliore o almeno leggibile. Ricordati, ma tu lo sai bene, che un racconto cattivo annulla dieci racconti buoni e che la memoria del lettore malizioso torna più volentieri sulle prove mediocri o cattive, che sulle buone. Queste gli sembrano indispensabili, non ne fa gran merito allo scrittore, ma quelle lo accontentano nel suo bisogno di distruzione.

[112]
Verso le cinque, scendendo a Notre-Dame,
la folla entrava e usciva dalla
porta di fondo. C'erano americani che si foto-
grafavano
e uno misurava la luce del rosone.
Là, verso il lungosenna, i negri con le bionde,
le coppie che rimontano il boulevard Saint-Mi-
chel
quell'odore di zucchero che è l'odore della sera parigina
mischiato alla vaniglia, e al castagno fiorito.
Una estate già calda avvampava dai bar
[...] Fiori rossi
spuntavano [nel verde] dall'abbazia di Cluny,
queste donne [accese], tra senape e salsicce,
nella birra che scalda, nel miscuglio felice
che stordisce e dà il rimpianto di una vita
non ripetibile. Belle le bandiere sui grigi severi
delle case, due alte su Notre-Dame, e sotto
i quais le coppie che si cercano
nel piacere alla luce del giorno che non finisce
e s'attarda a lasciare uno spettacolo che è suo.
Poi le casse dei libri e un poeta che esce a
consolarmi, Francis Jammes, la purezza e la gioia
di esser vivo, di comprendere e amare e di restare
sgomento al volo di un uccello nel cielo grigio.

[113] *La loi* di R. Vaillant

Uno stile che ondeggia tra Simenon e il cinema italiano dei registi progressivi. Quando vuol
essere vivo non supera il giornalismo, quando
vuol essere «lirico», disteso, ci dà quaranta pagine sull'appuntamento tra Donna Lucrezia e
Francesco, di una banalità sconcertante.
Quando infine V. vuol essere «forte» non supera Chéri Bibi. Questo per lo stile: ma il resto
non m'interessa. Le storie «italiane» o sono
raccontate con stile o non sono vere, perché
diventano facili, colorite, assolate. Il «reporta-
ge», sugli usi e costumi dei pugliesi, è pregevo-
le: ma perché truccarlo da romanzo?

Gli avverbi [1959]

[114]
Dimmi precisamente
che cosa posso fare
insegnami gentilmente
ad aspettare.
Quando credo di essere
non sono. Di avere, non ho.
Onestamente, ne dubito.

Dimmi cortesemente
qual è la mia follia,
il senso di una mano
un vuoto che risponde
la saggezza di un muro.

Dove sei? Non ti sento.
Dimmi precisamente
dove sei, dove sono.

Taccuino [1959-1960]

[115]
Noi viviamo in un'epoca in cui le cose immaginate da quegli imbecilli dei nostri nonni e da noi realizzate ci danno la certezza di un'onnipotenza, che abbiamo invece perduta scendendo a una competizione meccanica con l'Universo.

[116]
Il microbo che divora l'altro microbo pensa certamente al dominio dell'atomo.

[1959-1960]

[117]
Un tale va a Parigi in cerca di fortuna con le donne. Punta due tardone, che diffidano subito di lui. Italien. Riesce a far amicizia con una delle due, si comporta benissimo. Non mette mai le mani avanti. Rispettoso. La tardona, infine, vuol andare a letto. No, dice lui, non posso sciuparmi. Non ho forze, né soldi. Io mi conosco, se comincio non smetto. La donna allora decide di mantenerlo. Lui parla sempre delle sue ricchezze che ha a Roma. Le fa ven-

dere l'appartamento, decidono un viaggio in Italia. Amore sfrenato. A Roma, finiti i soldi, lui dice la verità. Contemporaneamente dice a un amico: Ti piace quella? A Parigi ha un sacco di soldi. Reggi la cicca fino a Parigi, non chiedere niente. E a lei: Quello ti ama, è un signorone. Con me hai finito, rifatti con lui, che ti vuol bene. I due partono. A Parigi si guardano in faccia: be'? Ognuno aspetta che l'altro cominci a tirare fuori i soldi. Si chiarisce l'equivoco. La tardona spedisce all'amico romano una fotografia con questa dedica: all'unico vero disastro della mia vita.

[118]
Quel gattino che nella nota incisione siede sulla spalla di Edgar Poe, quell'altro gatto che consolava lo spleen di Baudelaire, quei gatti zuccherati di Colette (che aveva finito per assomigliare a una gatta col fiocco al collo), quei gatti polemici di Léautaud, anche lui vecchio gattone pieno di croste, sono arrivati a Roma. Non c'è scrittore o scrittrice che non abbia il suo gatto o che non stia pensando di allevarne uno. L'altra sera io e Maccari incontriamo un gatto tanto insolente che: «Diamogli una pedata;» dice Maccari «c'è il caso che sia il gatto di uno scrittore». E rivolto al gatto che ci guardava spavaldo: «Vergogna! Va' a prendere i topi».

[119]
Alfonso sfrutta le donne. Non sa di portare il nome adatto al suo mestiere. È piccolo, scuro,

meridionale, la voce gli esce rotta, profonda, dal ventre, insieme ad un fiato denso di tabacco. Gorgoglia come uno che parli immerso nel fango. Se la prende coi giovani «papponi che si accontentano di mille lire il giorno e stanno rovinando la piazza». È indignato coi tenutari delle case di tolleranza: «Una volta, quando la donna si presentava, le dicevano: non ce l'hai l'uomo? Manda l'uomo, tratteremo con lui. Adesso, colpa dei giornali, della polizia, di questo governo che fa la legge Merlin, i tenutari hanno paura e dicono: Il tuo uomo non lo vogliamo conoscere. Anzi se ce l'hai, è meglio che lo lasci. Capito, dove siamo arrivati?». Ricorda quando guadagnava sessantamila lire al giorno, proteggendo cinque o sei donne, senza far niente, «stando tutto il giorno a fumare sigarette in albergo». Adopera frasi di gergo efficaci: per dire di uno sotto l'effetto della cocaina dice che è sotto l'ombrello.

1960

[120]
Il tempo fuori casa mi viene contato. Non ne sono padrone, lo subisco, non riesco a utilizzarlo. Lunghe giornate passate in albergo, o a passeggiare, guardando le vetrine. Necessità di essere sempre pronto a partire. Incapacità di afferrarsi alle cose. I sentimenti stessi diventano provvisori, come in una sala d'aspetto, dove gli oggetti ci colpiscono per la loro bieca inuti-

lità. Si cede alla consolazione del cibo. Si diventa implacabili nell'ozio.

[121]
Il turista è un essere che non rimane ferito da ciò che vede. Una donna che passa basta a sconvolgere l'ipotesi della mia vita, prospettandomene un'altra. Una casa che avrei voluto abitare, un paese dove avrei voluto nascere, e uno dove vorrei morire.

[122]
Che importanza ha essere vissuti per tanti anni, se un giorno solo ci fa capire che non ci resta niente?

[123]
Solitudine in città. La gente al bar, che mangia panini in attesa di tornare negli uffici. Tutti masticano, guardando nel vuoto o fissando la strada attraverso la vetrina. Quando incontriamo lo sguardo di un altro, tristezza di non poter cominciare un discorso, che il masticare delle mascelle renderebbe quasi osceno. Donne belle, guardate più delle altre e che servono da companatico. Gli sguardi scendono dalla testa ai piedi e risalgono, per capire, confrontare, decidere.

[124]
Le donne delle città, sempre più considerate come oggetti indispensabili, diventano automobili, subiscono la moda più che crearla, si differenziano in tipi – economici, di prestigio, di lus-

so. Tipo di donna di altezza modesta, sobriamente vestita, ben truccata, di oneste prestazioni, di intelligenza familiare: come una macchina utilitaria, che serve per la vita di tutti i giorni, non pesa sul bilancio, conforta per la sua semplicità di impiego, aderisce alla vita, ne condivide il peso. La donna bellissima, alta, che accende i desideri dei passanti allo stesso modo della macchina di lusso, che nessuno vorrebbe però possedere perché di costosa manutenzione o perché «si dovrebbe lavorare per mantenerla».

1960

[125]
Cristo torna sulla Terra e viene assalito dai fotografi e dai cacciatori di autografi. Tra costoro si mischiano spie della Questura, provocatori, ruffiani, agenti del fisco, maniaci sessuali, giornalisti, le solite prostitute, un comitato internazionale e alcuni sindacalisti. Nonché sociologhi, psicologhi, strutturalisti e cibernetici, che accompagnano biologhi, fisici e attori del cinema. La televisione trasmette le scene dei vari incontri. Pregato di fare alcune dichiarazioni alla stampa, Gesù dice: Chi ha orecchie per udire, oda, occhi per vedere, veda. Gli chiedono se si tratterrà molto. Il tempo di essere rimesso in croce o di morire di freddo. E aggiunge: E adesso chi mi ama ancora mi segua. Lasciate che i morti seppelliscano i loro morti, sono venuto per mettere la spada tra di voi, chi non la-

scerà la sua famiglia per seguirmi perderà il regno dei cieli, porgete l'altra guancia, date a Cesare quel che è di Cesare, il tempio è nel tuo cuore, niente profeti in patria. Eccetera.

La folla cominciò a gridare: Il miracolo! – Gesù prese cinque pani e cinque pesci e con essi sfamò la folla. – Un altro miracolo! – gridarono dopo il pasto. Gesù sanò vari nevrotici, convertì un prete. – Ancora! – continuava la folla. – Noi non abbiamo visto.

Gesù continuò a fare miracoli. Un uomo gli condusse una figlia malata e gli disse: Io non voglio che tu la guarisca ma che tu la ami.

Gesù baciò quella ragazza e disse: In verità, quest'uomo ha chiesto ciò che io posso dare.

Così detto sparì in una gloria di luce, lasciando la folla a commentare quei miracoli e i giornalisti a descriverli.

Ottobre 1960

[126]
La tromba al finale. La tromba allude sempre all'Apocalisse.

[127]
Montecatini, 21 ottobre. La pioggia torrenziale della notte, un velario, il rumore di tamburo sulle larghe foglie di *. Attesa di una catastrofe che ci lascia indifferenti.

---

* Una pianta di cui non so il nome ma che potrebbe chiamarsi auracaria [araucaria, *N.d.C.*].

[128]
Separazione tra intellettuali e popolazione. Gli intellettuali lavorano per gli intellettuali e la popolazione aumenta.

[129]
Film americano. Un attore (impresario) dice: «Ho prodotto 34 commedie, per 85 ore di spettacolo, 3 giorni e mezzo di divertimento».

[130]
La storia di quei tali che stanno precipitando sorretti da una speranza.

[131]
– Com'è andata l'alluvione dalle vostre parti?
– La critica ne ha detto bene, ma al pubblico non è piaciuto.

[132]
Ogni film drammatico si avvia lentamente a diventare comico.

[133]
Non si vanno a vedere volentieri i film dei registi morti.

Sparse [1961]

[134]
L'inverno è lastricato di buone intenzioni.

60

[135]
«Dopo tanti anni di serenità, dopo tanti anni di felicità, mi sono diviso dalla mia signora». – Perché? – «È una gran troia». – Ma che ha fatto? – «Dei gran pompini, dottore, dei gran pompini».

[136]
La luna diventa rossa e schiacciata quando si avvicina all'orizzonte. 3 agosto, ore 22 mezza luna crescente.

[137]
20 maggio. Il trifoglio inalbera un fiore rosso sangue come un tirso. Due papaveri nati per caso sul muro di una casa di fronte a me. Il cardo ha un fiore viola circondato da una raggera di spine.

[138]
Ipocrisia dei film americani su Gesù, presentato soltanto come immagine. È di spalle, se ne vede una sola mano, o lo si vede da lontano. Non parla mai. Perché? Eppure ciò che ha detto vale più di tutti i dialoghi che si potrebbero inventare. Ha detto, tra l'altro: «Lascia la tua famiglia e seguimi». «Iddio non è nel Tempio, ma nel cuore degli uomini». «Sono venuto per mettere tra voi la mia spada». Eccetera.

[139]
Il raffinato orgoglio della rassegnazione.

[140]
Come può interessarsi e scrivere di personaggi
così stupidi?

[141]
Tutti gli autori di trame sulla gioventù che lotta, che soffre, che ride, che ama volubilmente,
sono pregati di ritirarle in segreteria. Motivo:
non si fanno più.

[142]
Il presidente della giuria porta le briciole ai
passeri sul balcone e insieme, per il passero
poeta, un verme da un milione.

Fregene 1961

[143]
Un'automobile si ferma nella pineta. Ne scendono sei mendicanti, che prendono direzioni
diverse.

[144]
Alla banca, il parroco porta un sacchetto di
spiccioli da versare nel conto corrente. Le ele-
mosine delle cassette.

[145]
Le due bambine sulla spiaggia: – Senti, adesso
andiamo a casa, mangiamo, *ubbidiamo*, così ci
fanno dormire insieme.

[146]

La ragazza del bar, che spara sui passerotti. Si diverte. Per non spazzare ogni giorno le foglie cadute, ha spogliato i due alberi davanti al bar. (Autunno).

[147]

Il parroco viene a benedire la casa e mentre asperge mura e pavimenti dice a Rosetta se le interessa ancora quel terreno che aveva visto l'anno scorso, eccetera.

1961

[148]

Sul treno per Zurigo, due giovani checche, davanti a me, discutono della Chiesa. Parlano un italiano incredibile.
È tutta colpa dell'ignorencia... – dice uno volendo dire che la Chiesa prospera sull'ignoranza dei fedeli.
Alludendo al Papa: – Tutte quelle dentelle, quelle gioielle, tutti i bisciop, le candelle...
L'altro azzarda: Ma è la tradizione! I gioielli non sono suoi, tutta roba del tesoro, come se fossero di famiglia.
Oh sì, la tradizione, ma non dirmi che difendi l'ecclesia o ti lascio subitamente.

[149]

Il mondo cambia, via tutto, andiamo lungo la via Appia, ci danno un bicchiere di vino, per

dormire un mucchio di fieno, ci si lava nei ru-
scelletti, viva la libertà, ma quanto costa tutto
questo? La libertà di non farlo, evidentemente,
la libertà di starsene in un ufficio, pagati, con
un orario, le ferie pagate, le rivendicazioni, la
scala mobile, figli e mogli, figli e amanti...

[150]
Ad Atene:
Garçon, paracalò, il logaritmo. (Chiedeva il
conto).

[Foglietti di Hong Kong]

17 settembre 1961

[151]
In uno dei night-club di HK si potrebbe vedere
un numero di ciclisti acrobati tedeschi. Un uomo e due donne in calzamaglia che fanno evoluzioni nella piccola pista.

[152]
Carattere di Laura: si annoia alla vita mondana
turistica, alle serate nei night-club – non possiamo darle torto.

[153]
Aeroporto: studiare i diversi passaggi. Scena
lunga. Gente che guarda arrivare e partire.

[154]

Il barman italiano di Beirut (Commodore). I tipi dei vitelloni locali.

[155]

Beirut o il senso di una paura – l'arabo, la fine dell'Occidente – il disordine, la sporcizia e le costruzioni nuovissime, proprio come in Italia, ma con qualcosa di più cupo, una spocchia nazionalista infantile.

L'uomo che ci accompagna dice che alberghi come quelli di Beirut non ci sono in Europa, che l'aeroporto è il terzo nel mondo, dopo quello di N. York e quello di Londra.

Il giovane che siede davanti a noi, alla spiaggia, ha bottoni da polso reclame della Philips. Fuma il narghilè. Un antipasto con 28 piatti, alcuni buoni, altri stupidi e poveri.

[156]

Ci dev'essere qualcosa di più noioso dei libri che si scrivono sulla Cina: la Cina stessa.

20 settembre

[157]

Visita ai templi di Bangkok.

1° tempio – non bello – scuola dei monaci – bambini monaci che fumano e bevono il tè. Tutti ridono. Nella scuola i boyscouts suonano una canzone italiana. La stessa canzone viene suonata con un flauto al 2° tempio (Budda sdraiato) da un uomo.

[158]
Contaminazione: sguatteri che lavano il vasellame nel tempio dei Budda in fila.

[159]
Si mangia – nel delizioso buffet del tempio.

[160]
Come si prega: si acquistano tre bacchette d'incenso una candelina e tre fogli con lamine d'oro. La candela si accende, l'incenso si mette in un vaso, le lamine d'oro si schiacciano contro le statue dei Budda (tre) senza toccarli. Poi ci [si] inginocchia si agita un bussolotto contenente 9 stecchi di canna fino a farne uscire uno. Dal numero che la stecca ha segnato sopra si predice la ventura. A me, fortuna di soldi, e liti con la moglie. N. 13.

[161]
Ricordarsi i sorrisi di tutti. Bambini, donne, ragazze, uomini.

[162]
Il Budda sdraiato a Wat Po.

[163]
Massage? Ragazze in fila, sedute, attente come scolare. La maîtresse invita a sedere, la cameriera porta i panni odorosi. Tentativo di gentile

conversazione. Non c'è mai volgarità nel senso nostro.

[164]
A Hong Kong – Balloon B.
Le taxi-girls possono essere «riscattate» pagando il loro orario. La ragazza che canta in cinese. Le due belle ragazze che ballano il cha-cha-cha.

[165]
Ossessione del filippino che canta. Dappertutto filipinos (l'asiatico spagnolo).

[166]
Intelligenza, prontezza, rapidità del cinese che serve nei negozi.

[167]
Il medico che ha l'allevamento di animali, la moglie che suona il piano. Mettere tutto su questo *piano* o inventare?

[168]
Hong Kong ovvero la Cina vista dal buco della serratura. La stella rossa sull'attico della Bank of China. Nei *tours* organizzati dalle agenzie di viaggio c'è l'albergo di Suzie Wong (dal film) e il ricovero per il tifone. Nell'albergo un cartello avverte che, in caso di tifone, do not take chances, but stay indoors unless absolutely necessary. Stay tuned to your

radio or Rediffusion for information, or check with the desk.

[169]
Il tifone Roby avanza a 18 nodi l'ora dalle Filippine.

Floating market [21 settembre]

[170]
Il ritratto di Stanlio e Ollio accanto alla fotografia dei Reali.

[171]
Il vecchio che siede accanto all'orchidea coltivata da lui e alla nostra sorpresa – e ammirazione – sorride molto felice.

[172]
La maestrina che porta due bambine a vedere gli aeroplani all'aeroporto di Bangkok. Ha fatto due anni di Università ma ha dovuto abbandonare (figlio e marito) e ora insegna in una scuola di campagna.

[173]
Barbiere, polizia, vendita di bare, caffè, tutto.

Visita all'Isola dei Pescatori (Hong Kong) [26 settembre]

[174]
Sceso in pantaloni (torso nudo) visita all'isola
come in un sogno: cioè, sognare di stare nudo
in una strada cinese.

[175]
Tempio: spada trovata in fondo al mare da un
pescatore.

[176]
Bambina che infila perline con rapidità spa-
ventosa
bambino che fa i compiti
l'intelligenza e prontezza del cinese per tutte
le cose pratiche.

[177]
I bambù come tubi Innocenti, arrivano a 60
metri col bambù legato con lo spago o una
fibra vegetale.

[178]
Gentilezza del cinese che vuol essere trattato
con gentilezza. Nessuna ipocrisia quando si tratta di cavarti denaro.

[179]
Le taxi-girls.
Ballrooms frequentati dai cinesi. Le ragazze
hanno un loro manager, in ogni sala ce ne sono cinque o sei che controllano le loro ragazze – e incassano. Le ragazze si affittano per un
minimo di un quarto d'ora: 2,25 o per tutta la

serata (in questo caso dollari 63 per le ore e doll. 25 per l'assenza = doll. 88). La ragazza prende la metà e viene pagata ogni settimana con busta paga.

Una busta paga media è di dollari 50-60.

Se una taxi-girl viene invitata a cena pretende il pagamento delle sue ore – essa è libera del suo tempo sino alle 6 del pomeriggio – e ne approfitta per svolgere la sua attività di libera prostituta e di concubina.

L'ideale della cinese è di essere mantenuta.

[180]
Ragazze gentili, coltivate, che rammentano le francesi per l'avarizia ma non per lo spirito. Il matrimonio è per loro una cosa serissima che non ha niente a che fare con l'amore.

[181]
I pusse-pusse, vecchi con l'agilità dei ragazzi, ruffiani tutti, sorridenti, subumani, offrono bambine (nice little girl) o massage.

[182]
Capire la Cina è non soltanto impossibile ma inutile.

[183]
La revue *Girls with guns* – uno spogliarello molto casto. Quadro che si svolge nell'antica Roma (Colosseo).

Schiave romane vestite come bajadere e il ro-

mano che balla la tarantella. Loro confondono
l'Occidente come noi confondiamo l'Oriente.

[1964]

[184]
La sera del ritorno del figliol prodigo tutti erano stanchi, per le emozioni e il cibo. A tavola
fino a tardi, mangiando i resti del pranzo meri-
diano, con qualche aggiunta paesana e un vino
più calmo, che aveva acceso i discorsi. Solo il
figliol prodigo taceva – alla destra del padre
con le dita appena nervose arrotolava palline
di pane, ogni tanto volgendosi ai commensali
con un sorriso di bontà umiliata. Era già notte
avanzata quando andarono a coricarsi e per
qualche momento la corte risonò dei saluti degli invitati che se ne andavano nel buio verso le
loro case.
Il figliol prodigo trovò lenzuola fresche di la-
vanda, il materasso rifatto e vi affondò in un
sonno pieno di rimorsi placati – Alle otto del
mattino ancora dormiva e già la casa era in fac-
cende –
– S'è levato? No? Lasciatelo ancora dormire, è
stanco – disse il padre.
Nessuno gli rispose e quando alle dieci si sentì
la voce del figliol prodigo che chiamava dalla
stanza: La colazione, una giovane sguattera
mormorò ma non tanto da non essere udita
nel tinello: Ci risiamo –
Il padre uscì verso la corte –

[185] *Il vitello grasso*

Bergman:	Tanto silenzio per nulla
Antonioni:	Tempesta in un bicchiere d'acqua minerale
Fellini:	La settimana del bianco
Moravia:	Corre su un tapis roulant
Balestrini:	Aiutava Cechov a scrivere drammi – scriveva le didascalie
Pagliarani:	La poesia come sindacato
Soldati:	Sensuale e socialista
Bassani:	Letteratura, cosa nostra
Arbasino:	Un bambino chiuso nella pasticceria

[Estate 1964]

[186]
New York ha molti grattacieli Pirelli
alcuni più alti, altri meno belli.

[187]
A New York tutti sentono il bisogno di essere uguali, perché l'eguaglianza è una sicurezza che esclude la fraternità e la libertà.

[188]
A New York attenti al comunista quasi sempre è un intellettuale che ama l'Italia la France, e pensa che ci sia molto da fare in un paese dove il potere è in mano alla Borsa, ma in realtà ai sindacati, dove il povero non va in Florida, e dove i gatti abituati al cibo in scatola non mangia-

no che biscottini secchi e fanno i loro bisogni su un preparato che si chiama Kitty – un miscuglio di sabbia e di pietrisco che si vende in pacchi a 35 cents e che loro raspano tutto il giorno, poverini. Il pane a New York non è più il pane del vangelo, il corpo del signore, l'odore fresco del pane, la prima offerta all'ospite, è un prodotto che si tiene in frigorifero e contiene: lievito, vitamina D, pura farina di grano, nitrato di sodio, calcio, acqua e materie antideperibili come il carbonidrato di calcio. Il pane fa bene, dice la pubblicità, è l'alimento sano, adatto ai bambini e alle persone anziane. Come ridono gli americani quando vedono in un film francese la ragazza che torna a casa con la sua baguette di pane, unwrapped! – nemmeno incartata, così, pane anonimo. I bambini delle scuole vengono portati a vedere le mucche, che non hanno mai visto. In Italia, diceva un americano a un altro, i polli girano crudi per istrada. Ogni pederasta qui ha un cane. Una ragazza si è sposata un pederasta perché le piaceva il suo cane. Migliaia di ragazze nei loro appartamentini art-nouveau discutono di cose tipo King Kong con tipi come i Beatles. Il prezzemolo cresce a forma di pino marittimo, ma ora nei sandwich, lo servono di plastica, è solo decoration, e nessuno lo mangia. La natura ha fatto il passo necessario per cedere all'arte le sue mansioni.

[189] *Lascio parlare Cossery*

Non posso prendermi un'altra donna, sai. Se si trattasse di una volta sola, passi, ma il giorno dopo ti telefona: «Ci si vede oggi?». – Ecco, è un'altra che vuol entrare nel giro, e vuole vederti, e poiché ci sono già le altre non è possibile, diventa un lavoro e io non ho più tempo.

[190]
Non ci sono problemi, tutte o quasi tutte scopano, le più belle un po' meno delle brutte, perché sono belle e allora hanno l'idea di dover scegliere. Ma le altre, quelle che si devono contentare del primo che le invita a letto, scopano continuamente, perché ormai è così, l'abitudine, la vita. Pas même avec dignité. Elles couchent, simplement.

[191]
La domenica è il giorno in cui si vedono i mariti. Tutta la settimana tu vedi le mogli, poi la domenica vedi che hanno un marito, *tutte*, e vanno al ristorante – e passeggiano nel quartiere.

[192]
Io non sono di quelli che credono che altrove succeda qualcosa. Io resto qui, Parigi l'inverno, la Costa Azzurra l'estate, perché c'è il sole, il mare, e mi basta.

[193]
Non posso soffrire il sole in città, il rustico in città, i ristoranti alla moda. Per me non ci sono che gli auvergnats che hanno il diritto di tenere un ristorante. Vedi, cominciano che sono ragazzi, è un mestiere, nient'altro.

[194]
Mi domandano perché scrivo così poco. Io ho risposto: Se uno scrittore è prolifico, date un'occhiata a sua moglie. È quasi sempre brutta. E che volete che faccia il poveretto? Scrive!

[195]
Ho fatto piangere una bambina di sette anni, dicendole: Vattene, tu non mi interessi, sei vecchia! – Ha pianto tutta la notte, dicendo: Non è vero, non sono vecchia. Capisci?

[196]
Tu sai, non mi piace dare soldi alle donne. Se tu cominci a dargli dei soldi, ti disprezzano. Quando mi sono sposato, non avevo soldi, solo mia moglie lavorava, lei mi passava ogni tanto un assegno. Bene, non mi disprezzava affatto. E d'altra parte, io ero tranquillo, se mi avesse tradito, bene, sarebbe stato anche un suo diritto. Ma così, non le dovevo niente.

[197]
Quando io conosco una donna, subito le dico cose sgradevoli, tanto per farle capire che non

sono scemo. Dopo si può, se lo merita, trattarla meglio. Sarà contenta. Ti rispetterà.

[198]
Tu sei pittore e ti rompi la testa con dei problemi, e stai a guardare la pittura degli altri, e non lavori per discutere!

[Dicembre 1964 – gennaio 1965]

[199]
Un'Albertina che dice la verità è molto più abile di un'Albertina che nasconde la verità. Disastrosa, infine. Perché la gelosia che lavora sulle supposizioni trova almeno il conforto della fantasia, e la possibilità di una negazione – mentre la gelosia che lavora su fatti reali, accaduti, accennati nei particolari, ma senza che la narratrice ne provi fastidio o ne finga rimorso, ché li racconta anzi per stabilire la verità, per narrare a se stessa, per mostrarsi com'è e lasciarsi guardare, è orribile. L'amante di questa Albertina si trova contro tutto. Albertina non ha difficoltà ad ammettere la sua colpa (che se colpa può apparire agli occhi dell'amante, anzi alla sua fantasia, per Albertina è soltanto storia, passato, una parte di se stessa che non può nascondere o rinnegare, come non rinnega i piedi e le mani, o i suoi cattivi voti in latino o una passeggiata), non la giudica nemmeno e non ne trae più nessuna soddisfazione. *Essa è*, semplicemente. Come la meteorologia, alla quale

76

non possiamo rimproverare i temporali dell'anno scorso.

[200]
La mia vita è una brutta copia. Se potessi rifarla daccapo, potrei togliere qualche errore. Ma il carattere? Non mi porterebbe a fare altri errori, forse più sottili, di presunzione – come questo che mi capita proprio ora, di pensare di poter correggere una vita? La quale, se ha un suo significato (ma non lo ha) è proprio nella somma dei suoi errori spontanei e grossolani.
Il carattere mi porta a credere che certi errori sono biasimevoli e altri invece lodevoli. L'errore di espandersi esteticamente mi soddisfa, quello dell'indecisione mi umilia, la poca perspicacia mi offende, la mancanza di fede... altro errore?

Gennaio 1965

[201]
Il nostro paese non ha più niente da dirci, né abbiamo più niente da dirgli. Tra noi e l'architettura di queste città, chiese, palazzi, piazze, che esigono una vita calma, meditata sulla rinuncia e l'idolatria del piacere, il discorso è finito. Una mano di modernità, lo sforzo di

renderle adatte ai tempi, l'irrompere delle macchine, hanno messo in luce solo l'anacronismo della loro sopravvivenza. Non possiamo rifiutare la vita come ci è data, ma il luogo per accettarla non è più quello adatto. Non possiamo corromperci in un ambiente che non esprime più la gloria del suo passato ma l'accettazione della commedia moderna. Non vogliamo aspettare i visitatori, la parte dei custodi non ci piace. Altri orizzonti, altri cieli meno fastosi ma più nostri ci attendono. Trovare sotto quei cieli la forza di andare avanti, rifiutando il cinismo che le vecchie pietre ci hanno insegnato; non avendo altro da proporci, per anni e anni, che l'elogio della sopportazione.

22 gennaio 1965, in volo sull'Atlantico
(Note da un vecchio menù)

[202]
Si possono fare due film su New York.
Primo: di uno scrittore in panne, bloccato, forse finito, che conosce una donna e se ne innamora. Riamato? Non si sa. Ripudia la vita condotta nella vecchia città, gli piace New York, la vede come *lei*, come una donna. E ne ha in fondo paura.

[203]
L'altro film è una serie di racconti, cinque o sei. Si possono fare racconti brevissimi: i due ragazzi che non possono sposarsi perché il
78

computer non ha dato il *Sì* sui loro fogli. Si sposano lo stesso e la mattina dopo li troviamo che si stanno, silenziosamente ma decisamente, ammazzando. Furiosi per la delusione provata entrambi. E poi il racconto della serva che va a trovare lo zio morto; e quello dei due divorziati.

[204]
Volando, l'uomo realizza la massima aspirazione ancestrale, quella dell'Assunzione.
– Assunzione di prima classe o turistica?

[205]
Siccome doveva chiavare la donna che gli piaceva, con l'altra fingeva una castità spirituale.

[206]
La libertà conduce alla noia e la noia alla dittatura.

[207]
Ogni uomo ha la convinzione di una relativa immortalità.

[208]
Le dittature degli altri non ci danno fastidio.

[209]
Il Sole ci segue.

[210]
I topi abbandonano gli aerei che cadono?

[211]
Storia di un passeggero che non sa l'inglese e
che non si allarma affatto quando il capitano avverte che l'aereo deve fare un ammaraggio di
fortuna. Viene scambiato per coraggioso e alla
fine, quando si accorge dell'equivoco, diventa
coraggioso davvero, per non deludere l'hostess.

[212]
La civiltà è una questione di piedi al caldo. Dove i piedi sono trattati bene, il resto va bene.

[213]
Il pericolo chiede atti assurdi. In volo, la hostess offre su un vassoio, a tutti, rose col gambo
avvolto nella stagnola, e uno spillo. Dovremmo
appuntarci la rosa sul bavero, fingere dunque
un'assoluta sicurezza, anzi di non essere in volo, ma a una festa.

[214]
Salgo a Roma. Alle 8.10 pranzo (per i viaggia-
tori che vengono dall'Australia è mezzogiorno). Alle 12, a Londra, pranzo verso gli Stati
Uniti. Arrivo alle 13.50 in tempo per essere in-
vitato a pranzo (ora locale).

1965. Racconti di New York

[215] *I divorziati*

Il giornalista italiano s'innamora della mannequin, che è disposta a sposarlo. Il giornalista di-

ce tutto alla moglie, che è d'accordo: divorzio. La mannequin nel frattempo sposa un pederasta, perché si è molto affezionata al cane di costui. Il giornalista, divorziato, rimane senza donna. Per di più, non trova alloggio ed è costretto a vivere con la ex-moglie. Costei «vive» la sua vita, riceve l'amante. Quando si incontrano nel corridoio dell'appartamento si salutano.

[216] *La serva italiana*

La serva italiana è chiamata al telefono durante un cocktail-party in casa dello scrittore. Le annunciano la morte di un suo zio, a Brooklyn. Piange, si veste di nero e va alla Funeral Home. È da pochi mesi che è in America. Non conosce gli usi degli italo-americani. Alla Funeral Home è l'unica che si è vestita a lutto stretto. Trova lo zio in una poltrona, morto, imbellettato, con un sigaro in mano. Piange. Invitati. Viene servito un rinfresco. Tra gli invitati un giovane che si eccita all'idea di quella ragazza vestita di nero che piange, immagine rimasta nel subconscio del suo paese d'origine che non ha conosciuto ma che la madre rappresenta e rimpiange: un'immagine di lutti e di sole, arcaica, dove il dolore dev'essere manifestato piangendo come fa appunto la ragazza. Si offre di accompagnarla a casa. Un mese dopo si sposano.

[217] *The Tiffany watch*

Compra un orologio da un robivecchi. Apren-
dolo scopre che è stato dedicato a un certo
Bob. Viene poi a sapere che Bob era un giovane molto bello e molto amato dalle donne. Anche lui ha molte avventure. Ma l'orologio lo in-
quieta. Vedremo perché.

[218] *The Sony television set*

Un piccolo televisore di 6×6 centimetri gli
viene venduto a Bombay. Si accorge che non
prende niente. Poi un giorno vede una scena
che lo fa agghiacciare: la scena del Calvario,
come se avvenisse in quel momento, descritta
da speakers. Vede anche un'altra scena, quella
della sua morte, ma non riesce a capire in che
anno. Un giorno i ladri gli rubano anche il televisore. Ma i ladri fuggendo vanno fuori strada e muoiono.

[219] *The Magritte room*

Va con una ragazza in una stanza che è come
quelle dipinte da Magritte, col cielo che fa da
parete. Vana ricerca di questa ragazza. E incontri curiosi.

[220] *The Roux-Colombier Elevator*

Prende un ascensore che seguita a salire anche
dopo essere arrivato al piano. Si capisce che non
ha più guide e vola libero, ma non vede niente.

Un rumore di jet gli fa capire che è molto in alto.

[221] *The Fiat car*

Una macchina che si ostina a tenere e che riprende dopo averla venduta, si innamora di lui. Non può disfarsene e subisce tutte le sue angherie.

[222] *The Bell telephone*

Attraverso il telefono stabilisce una comunicazione con una persona che risulta morta.

[223] *The Parker pen*

Una penna che compra a New York lo spinge a scrivere storie estremamente licenziose, finché non lo portano al manicomio, dove gli affidano la biblioteca.

[224] *The Boeing jet*

Volando sull'Atlantico si accorge che il jet è abitato da persone morte, che vanno verso il nulla.

[225] *The movie's phantom*

Al cinema, vedendo un film, vede in una scena se stesso. Fa ricerca di quest'attore e si accorge che è veramente lui stesso, che sta vivendo un'altra vita in un altro posto.

[1965]

[226]
Miss Fullbright.
Sempre prima alla scuola del vizio.
Con le borse di studio sotto gli occhi.

[1965]

[227]
Una domenica mattina scoppiarono 1125 incendi.

[228]
Una ragazza inseguita da due rapinatori nell'atrio di una stazione fu derubata e picchiata davanti a venti persone, tra le quali 4 soldati e un giornalista che raccontò l'episodio dicendo che nessuno s'era mosso in difesa della ragazza, nemmeno lui (N.C. del «Saturday Review»).

[229]
Un'altra ragazza fu accoltellata da un maniaco in piena strada. Riuscì a sfuggirgli per tre blocchi di strada, sempre chiedendo aiuto. Nessuno si mosse. Il maniaco che era fuggito, ritornò su di lei e la finì a colpi di coltello, senza che nessuno dei passanti intervenisse.

[230]
Non si attraversa il Parco appena scende il sole – si è uccisi.

[231]
Lo chauffeur del taxi si volta continuamente a guardare dove avete le mani.

23 aprile '65

[232]
Anime semplici abitano talvolta corpi complessi.

[233]
In amore gli scritti volano e le parole restano.

[234]
Un amore si nutre di piccoli punti di contatto.

[235]
Ormai non desidero che ciò che mi offrono ripetutamente.

[236]
Chi mi ama mi preceda.

[237]
L'amore è una cosa troppo importante per lasciarla fare agli amanti.

[238]
Tutto arriva al momento giusto. Il Tempo trova il finale migliore.

[239]
– Diavolo, vado bene di qui per l'inferno?
– Sì, sempre storto.

[240]
Tirato da due forze uguali e contrarie che lo spaccano in parti disuguali.

Settembre 1965, in treno verso Firenze

[241]
Afflitto da un complesso di parità. Non si sente inferiore a nessuno.

[242]
L'arte come tentativo di giustificare la Natura. Ma la Natura è. Non cambierebbe una nuvola per compiacere un esteta.

[243]
Perché la Signora dirimpetto beve? Per sentirsi diversa. Bere è un modo di rifiutarsi. Gli astemi soddisfatti.

[244]
Al km 110 il paesaggio allargava le cosce.

[245]
Gli alberi italiani sono alberi che hanno passato guai. In America, donde vengo, gli alberi non hanno ancora acquistato anzianità storica, sembrano innocenti, gli alberi che dipingono i pit-

tori della domenica e i primitivi, un po' stupiti
e spampanati, cresciuti senza angosce.

[246]
C'è un sacco di gente che vive e lavora a Macerata. (L'essenza di Cechov).

[247]
La luce violenta ha del funereo come il buio.
Funerali nella canicola.

Diario degli errori. 1965

[248] *Parigi*

Danzavano come quella coppia di generici che
il regista mette nel fondo della sala, sotto un
arco, per dare l'aria di una festa intima ma già
preda della noia mondana, che si nutre di se
stessa nelle immagini più comuni e imitate.

[249]
L'amore che si pasce di un vocabolario talmente al limite della menzogna ma pure così insostituibile.

[250]
La nostra ansia di evadere non è suggerita dalle pareti nude del carcere, ma dagli affreschi
che lo decorano, dalle inferriate del XVI secolo, dalle tappezzerie e dai marmi, e soprattutto
dalle facce soddisfatte degli altri carcerati.

[1965]

[251]
Poeta. Una volta credevo che il contrario di una verità fosse l'errore e il contrario di un errore fosse la verità. Oggi una verità può avere per contrario un'altra verità, altrettanto valida, e l'errore un altro errore.

[1965]

[252]
Un libro sogna. Il libro è l'unico oggetto inanimato che possa avere sogni.

[253]
Quando un autore muore, i suoi libri e sua moglie non interessano più, per un po' di tempo.

[254]
Cercava la verità e quando la trovò rimase male, era orribile, deserta, ci faceva freddo.

[255]
Cercava la verità nella fica: e tutto quello che otteneva era di addormentarcisi sopra – dopo.

[256]
Un critico rovinato dalle cattive compagnie teatrali.

[257]
La nostra saggezza è nel ritenerci poco mortali.

1965

[258]
Non è vero che la facilità delle comunicazioni accresce la capacità di conoscere, o affini la cultura del viaggiatore. Anzi la facilità di trasportarsi da un luogo all'altro ottunde il valore della sorpresa e ci offre come acquisite le conquiste che un tempo si dovevano lungamente desiderare. Il pellegrinaggio non è tanto nel raggiungere la meta, ma nel raggiungerla con quel conveniente lasso di tempo che permetta di agognarla, e di farne veramente lo scopo spirituale del viaggio. Chi con un'ora di volo e due ore di automobile raggiunge Delfi guarderà il tempio di Apollo e l'auriga con l'occhio avido del passeggero che può, nella stessa giornata, permettersi un altro traguardo. Oggi le città sconosciute appaiono al viaggiatore come quartieri della sua stessa città mai visitati e di cui vale soltanto controllare le risorse di ospitalità e le offerte di piacere, non essendoci quasi mai tempo per vederle come mondi nuovi, per accostarvisi con una carica di meraviglia e di amore. Gli aeroporti sostituiscono le cattedrali, gli alberghi le abbazie, e lo shopping la conoscenza.

[259]
Non chiedete alle bottiglie di Morandi che cosa contenevano e perché stanno insieme, ora sono vuote, e nemmeno recipienti, sono l'idea di un mondo possibile, di soluzioni possibili.

[260]
22 novembre. Morte di Molli. L'ironia popolare nella disperazione, la vedova che all'amico di Molli venuto a visitare la salma grida piangendo: Te piace così?!
Il giorno stesso la più piccola leggeva l'oroscopo e per Molli c'era: Giorni fausti.
Il coraggio. «Per ora non c'è... dice che verrà in seguito».
La notte porta consiglio – diceva sempre – ecco, gliel'ha portato.
Si metteva davanti al ritratto della madre: Dimmi tu che devo fa', aiutami. Ecco, gliel'ha detto.
Molli, romano, dolce, lavoratore, attaccato alla famiglia.

[261]
La petulanza del temporale che si ostina a ripetersi – come se non avessimo capito che l'estate se ne va.

[262]
Un altro anno ci lascia. Abbiamo vissuto commettendo errori, l'unico modo di vivere senza

cadere. Vivere è una serie ininterrotta di errori, ognuno dei quali sostiene il precedente e si appoggia sul seguente. Finiti gli errori, finito tutto.

[263]
È un poeta così cattivo che sette città si rinfacciano il disonore di avergli dato i natali.

[264]
Shakespeare non sapeva il greco, né Omero l'inglese.

[265]
Ci sono luoghi dove amarsi non significa più niente, ma solo esercizio, come Parigi. L'amore cambia località.

1965

[266] *La Musa tranquillante*

Lo schema facilita la regressione all'infanzia
Nuovi orizzonti della confusione
Che cosa intende per Bene Superman: la difesa
della proprietà privata
Che cosa per giustizia distributiva: la carità
Superman è dunque cattolico?

[267]
Il capitano Nemo superuomo degli abissi.
Le sue capacità offensive e vitali esaltate dalla tecnica, in applicazioni premature o antitecni-

che. Velleità del complesso di inferiorità che chiede aiuto alla tecnica del futuro.

Modesta immaginazione di Verne confrontata alle attuali tecniche operative. Il Poeta si accontenta di volare o navigare in condizioni di quasi assoluta libertà: ma se deve distruggere non inventa armi, usa quelle convenzionali.

Per una Musa tranquillante [1965]

[268]
Piccolo saggio sul romanzo poliziesco, qualcosa di mezzo tra il vizio del fumo e le parole in croce, come dice Ed. Wilson.

[269]
Il monologo inferiore.

L'assenza d'ironia è alla base del tranquillante narrativo. I poveri non hanno accesso alle parti principali. La loro povertà complicherebbe l'intreccio. O lo tingerebbe di risentimento sociale.

L'Eroe moderno resta Ercole.

Non si va a letto con la donna colpevole (con quella che poi risulterà colpevole). Il coito è riservato alle persone per bene, perché *assolve.*

L'Eroe è un moralista. Ma non può morire. Deve sempre ricominciare daccapo. (Mito di Sisifo).

Il Bello che non è forte può essere sensuale, ma è scadente.

Necessità per l'Eroe di vivere alla giornata, come il Paladino.
La ricchezza è una cosa degli altri. L'Eroe ha bisogno solo di denaro.
L'Eroe deve avere un ammiratore (Watson) e un'ammiratrice (la segretaria) come certi paesaggi romantici hanno una figurina che indica il panorama.
Importanza del bere e del mangiare come azioni tranquillanti per il lettore. Automatismo dell'azione. La precisione è sempre riservata ai dettagli inutili. Ipnosi del particolare.
Fare un elenco delle città adatte: Los Angeles, Miami, New York, Londra, Costa Azzurra, Estremo Oriente.

[1965-1966]

[270] *Che*

Ho fatto un giro nel Vermont e nel Connecticut.
Come è impossibile vivere e come si rifiuta
l'idea di morire, di non esserci più.
L'età.
Quanti anni
non c'è modo di fermare l'attimo,
anche se è piuttosto bello.
Ma ogni attimo porta in sé la degradazione
dell'attimo seguente.
Non si fanno più ipotesi a una certa età
eppure la vecchiaia sembra una cosa
che non ci riguardi, uno stato degli altri.
Mamma, c'è un vecchio – dice il bambino

aprendo la porta – e noi sorridiamo.
Non siamo mai usciti dall'adolescenza
e chissà come ce la caveremo quando
saremo grandi.

[271] *Lamento dell'amante vecchio*

Tutto e nulla, quel che ho avuto e
la forma di ieri, il ricordo di una
linea sensuale che avviluppa
l'adolescenza. Questa sei tu,
la traccia di un sogno
che riapre il suo labirinto
nella notte degli inganni, quando
il sapore della vecchiaia
è già un vento freddo.
Forse la felicità offre un seguito
all'avventura [...]
[...] e
forse la tenebra rende
fastoso l'equivoco.
Una volta la mia speranza era
sospesa, ora la tieni
[...] tra le
dita per gettarla tra le
cose che divertono a tempo e luogo.
Un priapo ha il valore delle sue
erezioni.

[272]
Gli anni saltano nel buio della notte
veloce, e ci sembriamo sempre migliori
di un tempo.

La vita ci precede. Chi ci segue

è la morte. Sopraggiunge
appena fermi a considerare
la nostra immortalità.

Quattro sono anzi tre, anzi due
le ragioni del mio improvviso
esistere: l'idea che *veramente* si muore.

1966

[273]
La vita italiana si svolge a vari livelli storici.
Questo succede anche in altri paesi, ma in Italia il fenomeno è osservabile a occhio nudo.
C'è gente che vive in pieno medio-evo e agisce
non al di fuori della legge, ma senza conoscer-
la. Per altri la vita è quella del Cinquecento.
Egle e la sorella che sanno del marito sotto il
letto e parlano bene di lui, che ascolta. La madre li ha avvisati.
Il telefono per questa gente è un elemento ma-
gico. Suonano tre volte, abbassano, attendono
di essere chiamati. Non usano il gettone, parlano nell'acustico. Riti magici.

[274]
Chi vive nel nostro tempo è vittima di nevrosi.
Per vivere bene non bisogna essere contempo-
ranei.

[275]
L'omosessualità per la classe povera non è un vizio ma un modo di accedere alle classi superiori.

[276]
L'italiano teme la morte, ma non quella degli altri. L'italiano uccide per spiegarsi, per dare una lezione, perché ha paura di essere ucciso. L'omicidio lo rende quasi sempre migliore.

[1966]

[277]
Nel medio-evo l'uomo era l'abitante di due città: quella terrena e quella celeste. La città terrena non era perfetta, quella celeste sì. Era inutile cercare la realizzazione di se stessi, la felicità nella città terrena, poiché questa completa realizzazione l'uomo poteva trovarla, dopo una vita proba, nella città celeste.
La Raison, la civiltà industriale che ne derivò, abolirono la città celeste. All'uomo ora restava di realizzarsi nella città terrena: trovare cioè in vita quella felicità che gli era stata promessa dopo la vita. Da qui la filosofia del successo, del libero amore, del perseguimento della felicità e del benessere. L'uomo non vuole più soffrire in questa sua città terrena, né rinunciare a nulla. Ma la civiltà del benessere porta con sé proprio l'infelicità, poiché propone all'uomo i simboli del suo stato, da raggiungere, e riduce ogni conquista in termini materiali, quindi deperibili.
Per continuare su questo tapis roulant l'uomo deve inoltre consumare; e per consumare di più, lavorare di più. E aggiungere sempre nuo-

ve mete a quelle iniziali. Dev'essere proprietario, deve credere che l'amore è un'esperienza, e rinnovare quest'esperienza continuamente.

[1966]

[278]
Singolarità di un paese dove si diventa mendicanti per vocazione, dittatori per scrivere e scrittori per farsi coraggio.

[279]
Il borghese capisce tutto, afferra tutto, compra tutto.

[280]
Le cose che oggi ci irritano domani ci commuoveranno. L'ultima guerra, tra poco, si tingerà di rosa, perché ci ricorderà la giovinezza.

[281]
Capisco i giovani, li amo anche perché la giovinezza è sempre un guaio, propone troppe scelte; ma non sopporto i bambini, non si capisce veramente che cosa ci stiano a fare. Non siamo alla fine? E li avveleniamo. Di retorica. Con il nostro amore per le metafore, con la nostra comprensione. Ho sentito un bambino che diceva a un altro: «Mi sono ripromesso di fornirti, strada facendo...». Parlava come suo padre, probabilmente avvocato, o intellettuale.

[282]
Come si scrive un articolo.
Non raccontare mai aneddoti a meno che non
siano assolutamente puerili. Farli entrare in questo caso nel contesto come citazione già nota al
lettore.

[283] *Filosofia del rifiuto*

Agire come Bartleby lo scrivano. Preferire sempre di no. Non rispondere a inchieste, rifiutare
interviste, non firmare manifesti, perché tutto
viene utilizzato contro di te, in una società che è
chiaramente contro la libertà dell'individuo e fa-
vorisce però il malgoverno, la malavita, la mafia,
la camorra, la partitocrazia, che ostacola la ricerca scientifica, la cultura, una sana vita universita-
ria, dominata dalla Burocrazia, dalla polizia, dalla ricerca della menzogna, dalla tribù, dagli stre-
goni della tribù, dagli arruffoni, dai meridionali
scalatori, dai settentrionali discesisti, dai centrali
centripeti, dalla Chiesa, dai servi, dai miserabili,
dagli avidi di potere a qualsiasi livello, dai con-
vertiti, dagli invertiti, dai reduci, dai mutilati, dagli elettrici, dai gasisti, dagli studenti bocciati,
dai pornografi, poligrafi, truffatori, mistificatori,
autori ed editori. Rifiutarsi, ma senza specificare
la ragione del tuo rifiuto, perché anche questa
verrebbe distorta, annessa, utilizzata. Rispondere: no. Non cedere alle lusinghe della televisione. Non farti crescere i capelli, perché questo segno esterno ti classifica e la tua azione può esse-

re neutralizzata in base a questo segno. Non cantare, perché le tue canzoni piacciono e vengono annesse. Non preferire l'amore alla guerra, perché anche l'amore è un invito alla lotta. Non preferire niente. Non adunarti con quelli che la pensano come te, migliaia di no isolati sono più efficaci di milioni di no in gruppo.

Ogni gruppo può essere colpito, annesso, utilizzato, strumentalizzato. Alle urne metti la tua scheda bianca sulla quale avrai scritto: No. Sarà il modo segreto di contarci. Un No deve salire dal profondo e spaventare quelli del Sì. I quali si chiederanno che cosa non viene apprezzato nel loro ottimismo.

[284]

Chi ti ha creato e messo al mondo?

Non lo so.

Non è Dio?

È possibile. Ma siccome Dio ha creato e messo al mondo anche il ministro Mattarella e il ministro Andreotti, anzi sembra che la loro esistenza gli sia più preziosa e utile della mia, la cosa mi lascia indifferente.

Per qual fine sei stato creato?

Per dire no.

A che cosa vuoi dire no?

A te, principalmente.

Che cosa ti ho fatto?

Mi hai tolto la fede.

[285]
Non che la cosa mi importi molto, al punto in cui sono, ma:
au fond je pense être d'accord avec le vecchio filosofo che nega la scienza e la riduce a un'estrapolazione della filosofia, et donc rifiuta la faccenda delle due culture. Il fisico, il matematico, il biologo: essi cercano cose esistenti nell'ordine naturale e universale. Il filosofo, il poeta, l'artista cercano soluzioni che non esistono in natura. Là si può parlare di intuizione, di abilità, di calcolo e di pazienza. Qui, di invenzione e di creazione, di sostituzione. Il musicista crea, assieme al poeta e all'artista, un ordine consolatorio. La natura va per conto suo, l'Universo è insensibile al pensiero umano, non conosce l'Uomo, né la vita è il suo scopo. L'Eterno e l'Infinito non possono avere altri scopi che quelli che li definiscono. L'uomo invece è nato per morire, può diventare eterno e infinito solo organizzando la mistificazione dell'Universo e delle sue leggi. Mentre la conoscenza scientifica dell'Universo e delle sue leggi lo portano forse al benessere, ma anche alla diminuzione di se stesso, al riconoscimento della sua profonda inutilità.
Quando avremo sondato l'Universo alla ricerca della nostra incapacità di dominarlo e di capirlo, dovremo ritornare al Poeta e concludere che a muovere il Sole e le altre stelle (a muoverle, ma non a spiegarle) è l'Amore. Al-

lora la nostra fede non sarà più liberatrice, ma deduttiva, accettata per la nostra incapacità di andare oltre. Crederemo perché è evidente, non perché è assurdo.

[286]
Essi, i giovani, sono tristi perché cercano una libertà che nessuno gli nega, ma che non esiste. Sono tristi perché sentono che il tempo lavora contro la loro indignazione. Si può essere liberi rinunciando a tutto, quindi alla stessa libertà. Ma volere la libertà per cambiare un sistema, significa augurarsi un altro sistema che implicherebbe altre schiavitù.

[1967]

[287]
E pensare che questa farsa durerà ancora miliardi d'anni, dicono.

[288]
Ormai posso vivere soltanto in posti degradati: Fregene, Montesacro, etc. La vista di persone e di luoghi «bene» mi procura nausea. Segno del fallimento.

[289]
Per consolarci frughiamo tra i nostri escrementi, fisici o letterari. La merda è una certezza. Bene o male, siamo noi a farla.

[290]
Bambini in carrozzina, già con le stimmate del loro opaco futuro: direttori, professori, soprattutto mariti e padri.

[291]
E tutta questa gente deve mangiare, far l'amore, litigare, desiderare.

[292]
L'Indù si masturba pensando a Dio.

[1967]

[293]
Se sei comunista puoi essere un imbecille
ma se non sei comunista sei un imbecille.
Se dai spiegazioni estetiche
sei un esteta
ma se non hai spiegazioni da dare
sei un isolato
se quello che fai serve ad alimentare
il Problema
sei un artista
se ignori ogni problema
sei un anarchico
se ti piace vivere accetti l'ingiustizia
se ami la giustizia non sei forse un borghese?

[294]
Cercate di immaginare quanti elefanti
sono dovuti morire per questa torre d'avorio.
Voi non potete contarli, eppure tutti hanno un
nome,
ognuno di essi potrebbe volendo schiacciarmi,
e invece le loro zanne sfidano il tempo tran-
quille
la torre aumenta d'altezza ad ogni elefante che
muore
non se ne vede la fine, già sta forando le nubi,
la sola torre babelica è questa di vecchi elefanti,
che non confonde le lingue dei suoi costruttori,
parlano tutti una lingua, barriscono come elefanti,
e in cima alla torre un uomo prende appunti,
parla, e se sputa, il vento porta lontano
la sua saliva, sul mondo dei non-elefanti,
che impreca alla costruzione...

1967 (notte tra 31 ot. e I nov.)

[295] *Un sogno*

Nei pressi di un molo, un tipo (che conosco)
sta pescando. Nell'acqua chiara, tra i sassi e il
frutto della sua pesca, orribile, serpenti neri,
bianchi e gialli, altri pesci di forme e colori poco comuni (murene?) che mi guardano come i
gattini, cioè con fiducia, probabilmente non
mi farebbero del male, se li toccassi e perché

no? accarezzassi. Sono sott'acqua, all'apparenza velenosi, a un palmo dalla superficie.
Nella sabbia vedo un altro strano animale, di colore nero scarabeo dorato, lungo circa otto centimetri, diametro due, uno stronzo secco! con tutte le caratteristiche dello stronzo secco, nero, di quelli che si trovano nella sabbia e sono calcinati dal sole. Disturbato, si restringe sino a tre centimetri, cammina infilandosi nei buchi della sabbia. Mangia piccoli insetti. Alcune battute che non ricordo scambiate con quel tipo che conosco a proposito di questo animale. Notiamo che si infila nei buchi come se cercasse di ritornare alla sua «sorgente», l'ano. Fastidiosa sensazione, nel sonno, di dover essere infilato da questo animale in cerca di rifugio.
Sogno frocesco, penso. All'inizio della conversazione si parlava di una condotta d'acqua, che veniva dal mare e passava in tubi (invisibili) proprio sul molo. E io avevo detto che l'acqua era pétillante, *frocesca*, facendo ridere un ragazzo presente. Tono della mia conversazione molto frivolo, desideroso di essere approvato.

Los Angeles, gennaio '68

[296]
In un taxi, a proposito di un nuovo hotel di Las Vegas: «An orgy of excitement». Ossia, soltanto l'iperbole e l'enfasi vengono percepiti dal consumatore, e soltanto una metafora ses-

suale garantisce l'attenzione. Se l'annuncio pubblicitario dello stesso hotel fosse redatto in termini semplici, *non sarebbe percepito.*

[297]
Viaggiare è come tenere i rubinetti aperti e vedere il tempo che va via, sprecato, liquido, intrattenibile.

[298]
In un ristorante le cameriere servono col petto nudo.
Dopo dieci minuti, in attesa delle pietanze che non arrivano, la loro nudità diventa solo irritante; poiché in fondo, superata la prima piacevole sorpresa, è il buon servizio che conta – e ci sentiamo ridicoli, come nella sala d'aspetto di un postribolo che non funziona.

[299]
Giulietta e Romeo sono due amanti che tentano di inventare la geometria. (Nel balletto di ?).

Los Angeles, gennaio '68

[300]
Non potendo dormire, televisione notturna, che dà film fino all'alba. Brevi film polizieschi, interrotti ogni dieci minuti da un minuto di pubblicità, che li migliora. Lo specifico televisivo è la pubblicità, dove si è in gara col tempo.

Un minuto, mille dollari (o forse molto di più, non so bene), il che costringe a una dizione frenetica, per far entrare il maggior numero di parole e di concetti nel dettato. La pubblicità migliora questi film, dicevo, allargando le loro storie di solito sciocche su un piano di reali necessità industriali e commerciali, che danno loro un messaggio fondato sul sacro concetto del benessere collettivo. Luoghi e personaggi, il detective privato, il night-club, l'inseguimento in automobile, la sparatoria, l'amore, non avrebbero senso senza la pubblicità delle automobili, della birra, delle sigarette, dei ristoranti, tutti particolari del generale, pregnanti di verità. In genere questi film notturni hanno senza volerlo scoperto la vera natura del cinema, che è di rendere la realtà in ideogrammi; e il suo scopo, cioè il raggiungimento utilitario della sorpresa tra finzione e necessità.

Londra, febbraio 1968

[301]
Quando un pederasta, un omosessuale, una checca va all'estero o cambia città, e ne scrive (supponendo che sia scrittore), è generalmente tentato – senza resistervi – di raccontare le sue avventure erotiche. Dà del suo viaggio, spesso sinistro, un resoconto acceso, magnificando luoghi e persone, possibilità di divertimento e gioia di vita – accennando ad incontri fantastici, che nella realtà sono modesti, trat-

106

tandosi di incontri con commessi, camerieri, giovinastri di vita, sottobosco servile dei caffè e degli alberghi, oppure militari in libera uscita, o ragazzi squattrinati, eccetera. Questo spiega perché l'eterosessuale, quando viaggia, ha ben poco da raccontare. Egli ha ormai superato il periodo erotico-ancillare e non parla dei successi avuti con le cameriere degli alberghi o dei ristoranti, né con le semplici prostitute. Rinunciando a queste ipotesi, abolisce il viaggio.

[1968]

[302]
Ho visto alla televisione una delle serate di Sanremo.
Ero a cena in casa di amici e non ho potuto sottrarmi. Questi amici intendevano vedere la trasmissione per ragioni di studio, essendo psicologhi e interessati ai fenomeni della cultura di massa. Alla fine mi sono accorto che a loro quella roba piaceva. Il fatto che a cantare fossero dei giovani, serviva a garantirli che la loro approvazione rientrava nell'aspetto giovanile del fenomeno. La verità è che a me lo spettacolo, non so più se ridicolo o penoso, di quella gente che urla canzoni molto stupide e quasi tutte uguali, lo spettacolo mi è parso di vecchi. Comunque, se la gioventù è questa, tenetevela. Non ho mai visto niente di più anchilosato, rabberciato, futile, vanitoso, lercio e interessato. Nessuna idea, nelle parole e nei motivi.

Nessuna idea nelle interpretazioni. E alcune mi venivano segnalate come particolarmente buone. C'era un tale per esempio, coi capelli alla bebè che sembrava protestare contro il fatto che dei malintenzionati gli tirassero delle pietre. Non si capiva perché si lamentasse tanto. Avrebbe voluto che gli tirassero delle bombe? Oppure? Che un tipo simile venga lapidato dovrebbe essere normale. È brutto, sporco e probabilmente velenoso.

So bene che è inutile lamentarsi sui risultati di una politica produzione-consumo. Interessi economici molto forti possono modificare non soltanto il gusto, ma la biologia di un popolo che cade in questa impasse. La trasmissione era ascoltata, dicono, da 22 milioni di telespettatori, che è quasi dire tutta l'Italia – il paese dei mandolinisti.

[303]
La vita e il pensiero sono perpetui *solo in modo statico* e non assolvono alcuna funzione nell'evoluzione dinamica dell'universo. La vita è apparsa, si è evoluta ed è scomparsa su una miriade di pianeti in un ciclo di qualche miliardo di anni, limitata nella sua durata da eventi cosmici o per effetto della sua stessa evoluzione.
(Dauvillier, orig. fotoc. della vita)

[304]

Avrebbe potuto scrivere pagine e pagine su quel mare che, ora, *non allora*, egli vedeva dalla finestra di un terzo piano, da padrone, in un albergo confortevole e senza ansie per il futuro. E trovare nelle onde avvoltolate dalla tramontana, spinte contro i ristoranti, qualcosa... Trovarci, col freddo rancore del ricordo, un ritratto, una soluzione, forse solo un meccanismo deludente, che spiegasse e desse un senso alla commedia di tanti anni, all'attesa. Trovarci l'avvertimento inascoltato e negletto. Invece passò il tempo leggendo i giornali, ficcato a letto, oppure parlando con gente che non avrebbe più rivisto, preso dalla noia dei giorni che non promettevano niente di meglio.

1968

[305]

Manca un'ora all'anno nuovo. Le voci della televisione, gli scoppi dei petardi, le grida dei vicini. Si uccide l'anno vecchio. Ma io non credo che un anno possa essere ucciso. La borsa dell'acqua calda sullo sterno, che mi duole per la bronchite. Non andrò in nessuna festa. Mi è impossibile divertirmi. Sono offeso da come va il mondo – dalla volgarità delle masse. In Italia: Canzonissima, Sanremo, campionato di calcio, la macchina nuova, nient'altro.

[306]
Napoli, canzoni napulitane, *Sicilia*, mafia, *Sardegna*, brigantaggio, *Milano*, affari, *Torino*, macchine, *Venezia*, sta morendo, *Firenze*, deve essere salvata, etc.

Nel 1968

[307]
I porti invecchiano
Venezia è sempre da salvare
L'Inps assediata
Gli statali in sciopero
L'edilizia in crisi
Gli ortofrutticoli danneggiati dal Mec
Il turismo regredisce
Le acque sono inquinate
I treni ritardano
La circolazione in crisi
Lo sciopero dei benzinai
Gli studenti preparano la protesta
Rivolta nelle carceri
La riforma burocratica ferma
Napoli paralizzata
Sciopero dei netturbini
La crisi del latte
La pornografia in crisi
Il divorzio è in crisi
Crisi dell'istituto familiare
I giovani svedesi non si sposano più

La torre di Pisa ancora in pericolo
Il porto di Genova paralizzato
I telefoni non funzionano
Posta che non viene distribuita
La crisi dei partiti
La crisi delle correnti dei partiti
Lo Stato arteriosclerotico
Il Mezzogiorno in crisi
Le regioni in crisi
Il comune di Roma aumenta il disavanzo
Ferma la metropolitana a Roma
Duello di artiglieri a Suez
I colloqui di Parigi stagnano
Nel Vietnam si attende l'attacco
I cinesi preparano una sorpresa?
I negri preparano la rivolta?
Gli arabi preparano la guerra?
I russi nel Mediterraneo
De Gaulle in pericolo
La sinistra in crisi
La destra in crisi
Il centro-sinistra in crisi
Fine del parlamentarismo?
Il freddo ritorna.

[1968]

[308]
Noi viviamo grazie a Dio in un'epoca senza
fede.
Preti astrologhi e santi in intrallazzo.

[309]

C'era quel giorno uno sciopero di mutilati, o medici, o mutuati, o edili, non ricordo bene. Il giorno prima c'era stato uno sciopero di poeti, di santi, di navigatori, o forse... no – mi sbaglio?

[1968]

[310] *1965*

Lamento del giornalaio.
Vorrei andarmene nei Paesi Bassi.
Guardi le fortezze, so' tutte cadute. Il Colosseo, invece, che s'è sempre fatto i cazzi sua, è ancora lì.
Alla morte ogni fesso ci arriva.

[311] *1966*

Trent'anni fa tornavo dall'Africa, bevevo cognac, mi comprai un fonografo con pochi dischi, ero ancora innamorato di Lilli, un poco, con orgoglio, non sapevo che cosa avrei combinato nella vita – questo bel pasticcio che ho poi combinato – tutto da solo.

[312] *1968, gennaio*

Rond-Point des Ch.E. – Incontro col pittore contadino, simpatico, vero, forte, gallo. Ammirazione, due anni fa, per la sua calma virile, buon capo famiglia, padre affettuoso e giusto, etc., e in più artista.
Ora, combinato come un hippie domenicale,

112

basettoni, baffi, capigliatura enorme, abito da marinaro, sospetto evidente di froceria. Vuol fare del teatro: qualcosa di assurdo e di serio nello stesso tempo. Ma il teatro è ormai possibile solo come ambiguo riflesso del teatro.

18 gennaio 1969

[313] *Il lanciatore di petardi*

L'Universo? Volete ripetere, per favore? U-ni-ver-so? Ho capito bene? Che cos'è? Mai sentito nominare. Oppure... Parlate più forte. Che cosa? Un momento. Volete dire quel... quel petardo che ho fatto esplodere poco fa? E con ciò? Se dovessi occuparmi di tutti i petardi che faccio esplodere e dovessi dare un nome a tutti! Universo! Che nome pomposo! (Lancia un petardo, che esplode). D'accordo, dovrei farlo. Non per renderne conto a voi, però. E chi vi dice che non lo faccia? Lasciatemi pensare. In realtà, lo faccio. Ho un catalogo. Ma soltanto io mi ci raccapezzo. Mio figlio dice che la mia contabilità è imperscrutabile. E allora? Prendetemi come sono. Non avete scelta. La verità è che ho molto lavoro. (Lancia un altro petardo, che esplode). Si fa presto a criticare. Se aveste un'idea anche approssimativa dell'infinito non mi fareste domande simili. Come riempirlo, anche se lancio petardi da sempre e continuerò sempre a lanciarne? L'Universo, come lo chiamate voi – ed è il suo nome giusto, d'accordo – vi farebbe ridere. O forse nemmeno ridere. Vi lascerebbe indifferenti. È durato il tempo di un mio sbadiglio. E ci vuole la mia memoria per ricordarlo. (Lancia un altro petardo, che esplode). La mia attività vi sorprende? Può essere paragonata soltanto alla mia ostinazione e, lasciatemi ridere, alla mia frivolezza. Perché lo faccio? E che altro si può fare? Io sono tutto il tempo, più tutto il tempo di tutto il tempo. Da impazzire a pensarci. E a rigore di logica, dovrei impazzire. Se vi conviene, diciamo che sono già pazzo. Che cosa cambia? E allora? Ma... ma ci sono i petardi. (Lancia un altro petardo, che esplode). Vedete, di quel petardo esploso adesso non rimane che il fumo. Tra poco sparirà anche il fumo. Come posso dirvi quant'è durato lo scoppio, se il tempo non è misurabile? E dirvi dove va il fumo, se io non sono misurabile? Pensateci bene, non vi resta che la fede. Dovete credere, perché è assurdo. (Lancia un altro petardo, che non esplode). To', non è esploso... Strano. Ma tra poco esploderà, appena avrà la forza di farlo. E allora? Che aspetta? Se ne va... Guardatelo! Si dà arie di catastrofe! Vorrebbe attirare tutto lo spazio e tutto il tempo, distruggermi! Va', va', piccolo stronzo, non sarai tu che spianterai il Nulla... Ma no, ecco, sta scoppiando... è scoppiato!

[314]

«Ho un mal di testa, mi sento stanchissima, come se mi avessero bastonata». «Vada dal dottore». «Ci sono stata, mi ha dato le medicine, ma non è cosa della mutua, questo è malocchio. Mi hanno gettato il malocchio». Va al telefono. «Pronto, sei tu, Peppina? guarda devi vedere se mi hanno gettato il malocchio. Stai facendo il sugo? Be', tanto che ci metti. Posso aspettare. Hai messo l'acqua nel piatto fondo? E le gocce d'olio? Come si comporta l'olio? Dici che ho ragione? Allora me lo levi? Coraggio, dimmi le parole. (Ascolta). Grazie». Un quarto d'ora dopo: «Era malocchio, è andato via, mo' sto bene». Questo a Roma, 20 ottobre, a casa mia.

Malocchio malocchiato
Due occhi ti ha docchiato
Tre santi ti aiutato
Col nome del Padre
E dello Spirito Santo
Il mal'occhio a
Ennio in terra cascha
Faccio da medico
Nó da me stesso
   Bambina

[315]
Che cos'è la civiltà di un paese? L'aumentato
benessere, l'istruzione obbligatoria, l'assistenza
sanitaria, la facilità delle comunicazioni.
Tutto questo si paga con la perdita del senso
umano. Aumentano non solo i delitti, ma la di-
sposizione a sfruttarli, a imporseli come unico
contatto con la società. L'uomo vive nella paura di perdere quello che ha. La famiglia è di-
strutta, da quando le donne lavorano, i bambini protestano e l'uomo sogna di andarsene.

[316]
Italia, paese di porci e di mascalzoni. Il paese
delle mistificazioni alimentari, della fede utilitaria (l'attesa del miracolo a tutti i livelli) della
mancanza di senso civico (le città distrutte, la
speculazione edilizia portata al limite) della
protesta teppistica, un paese di ladri e di ba-
gnini (che aspettano l'estate) un paese che vive per le lotterie e il giuoco del calcio, per le
canzoni e per le ferie pagate. Un paese che
conserva tutti i suoi escrementi.

[1969]

[317]
Seguire la moda è per la donna una misura di
sicurezza. Si potrebbe citare Nietzsche: «Non
si è mai dato il caso di una donna che in un

abito molto scollato purché sia di un gran sarto abbia preso un raffreddore». In questo caso il gran sarto garantisce la donna di essere nella corrente giusta e aumenta le sue difese contro gli agenti esterni non solo, ma anche contro i propri dubbi.

[318]
La moda: che cos'è non lo sapremo mai, appunto perché ogni definizione è troppo semplice.

[319]
Seguendo la moda la donna e anche l'uomo si mettono nelle condizioni dei fachiri, cioè respingono il dolore.

[320]
Una volta a Milano davanti alla Scala, in un'ora di punta vidi alla fermata del tram un plotone di cosacchi. Ah, dissi tra me, che succede? Sono già arrivati? Invece, avvicinandomi, vidi che erano tutte ragazze, impiegate o commesse, ognuna col suo colbacco di pelo, perché quell'anno andava di moda il colbacco di pelo. Per un momento avevo temuto l'occupazione russa.
Ora, quando vediamo ad una fermata una trentina di ragazze con gli stivali a gamba non dobbiamo credere che siano arrivati i moschettieri. E nemmeno le guardie del cardinale. L'anno prossimo calzare gli stivali a gamba sarà una cosa ridicola.

[321]

In un romanzo francese dell'800, non ricordo il titolo né l'autore, un giovane chiede una prova d'amore alla sua amata. La prova d'amore è questa: mettersi un paio d'occhiali neri a teatro. La donna rifiuta. E il grande amore finisce così. Oggi un giovane può chiedere una prova al contrario: che la ragazza si levi gli occhiali enormi che vanno di moda oggi. Immagino che sarà respinto.

[322]

Di chi è parente la moda oggi.

Il ciclo della moda ha una curiosa costante. Ogni generazione tende a ripetere la moda della penultima generazione, cioè a saltare una generazione, all'indietro. Questo spiega la moda del 1930, oggi, come una ricerca spasmodica del tempo perduto.

[323]

Bonnie and Clyde. Il 1968 è stato per esempio l'anno di Bonnie.

[324]

Gli uomini e la moda.

Si dice che la moda sia un modo che gli uomini, cioè una parte degli uomini, abbia di vendicarsi della donna, di renderla ridicola: ma anche se è così, il risultato è che la donna non si sente mai ridicola seguendo la moda. E probabilmente non lo è.

[1969]

[325]
Le stanze tutte uguali di questi alberghi. Il comfort ha trovato delle misure standard, applicabili dappertutto. Il bagno senza finestra, incorporato, il tavolo dove scrivo con i cassetti a lato, la grande finestra che non si apre, e propone lo stesso paesaggio di montagne e di parcheggi, dovunque. (Hôtel Intercontinental Genève).

[1969]

[326]
Il guaio dell'amicizia è che bisogna frequentarla, se passano giorni vuoti, è finita anche lei, tutto è frequentazione, o il desiderio si spegne. Viene il corvo a vedere ogni tanto a che punto...

[1969]

[327]
Il bello dell'innamorarsi è il principio. Ti sembra tutto nuovo. Dopo un anno non riesci a capire perché tutto ti sembrava nuovo.
Secondo te bisognerebbe innamorarsi ogni... diciamo ogni due anni.
No, allora diventa un lavoro.
Voi donne non amate mica il marito ma il matrimonio. Vi piace essere sposate come a noi

119

uomini piace essere laureati, diplomati, specializzati. Io sono laureato in legge, per esempio. Io non amo mica la legge, amo la mia laurea.

[1969]

[328] *La M*

Iscrivetevi al Partito Comunista

Vantaggi
- sarete temuti e rispettati
- libertà privata totale
- ampie possibilità per il futuro
- viaggi in comitiva
- nessuna perdita in caso di persistenza del Sistema
- guadagno in caso di rivoluzione (almeno per i primi tempi)
- colloquio coi giovani
- ammirazione del ceto borghese
- ampie facilitazioni sessuali
- possibilità di protesta
- rapida carriera
- firme di manifesti vari
- impunità per delitti politici e di opinione
- in casi disperati, alone di martirio

[1970]

[329]
I due giovani aprirono il giornale alla pagina degli spettacoli. Facciamo in tempo per il tea-

tro, disse uno. All'Argentina, I Masnadieri, di Schiller, in ungherese. L'ho già visto in polacco, disse l'altro. Dicono che questo sia meglio anche del russo e del tedesco orientale. Sì, ma sempre I Masnadieri. Io ho visto anche quello bulgaro. A proposito di bulgari, c'è il Complesso di danze folcloristiche bulgare al Palazzo dello Sport. L'ho visto l'anno scorso. Allora, il Complesso Folcloristico rumeno al Palazzetto. Bello, ma troppi colori. Qualcosa di più calmo. Al Valle c'è Cuba mon amour, tutto in calzamaglia. E poi? E poi la novità di Moravia: La rivoluzione è quella che è. Il giudizio? «Confessione di un intellettuale che non nasconde l'ammirazione per la realtà». Spiritosi. All'Eliseo? «L'importanza di chiamarsi Ernesto Che Guevara» di Arbasino. Al Quirino «Vita con Stalin» di Pasolini. Bravo Paolo Stoppa. Ti interessa «Compagno papà» di Diego Fabbri? Che cos'è? «Papa contestatario occupa il Vaticano travolgendo gli Svizzeri». Qualcosa di più allegro? Il Cabaret costruttivo polacco, tutto contro gli americani e i cinesi. Da ridere fino alle lagrime. Al Sistina? «Ciao», la vita di Antonello Trombadori, di Garinei e Giovannini, con Mastroianni che salta e canta. Andiamo al cinema. Al Metropolitan: Motori redenti. Che cos'è? Un film sulla trasformazione delle automobili in trattori agricoli. Dice che il finale è travolgente. Le strade vuote e i campi imbottigliati dai trattori. E il film di Pasolini? Bianco sul mar nero? Vediamo: «Comitiva di intellettuali italiani tra cui Ungaretti e Franco Citti in

Crimea per vacanze vengono sodomizzati da
Ciccio Ingrassia stakanovista». È un simbolo
naturalmente. Critica 4, pubblico 2. Andiamo
a dormire. Sì, compagni, fareste bene ad andare a casa disse la guardia. Anzi, fuori i documenti, e venite con me.

[1970]

[330]
Si parla di crisi del cinema. Per capire qualcosa
bisogna prima chiedersi che cosa è un film.
È un'opera d'arte... eccetera.

[331]
In più c'è da osservare che è l'unica forma d'arte nella quale le opere si muovono e lo spettatore resta immobile.

[332]
Può succedere il contrario: che l'opera eccetera. E allora si ha la crisi.

[333]
Cioè, il film non interessa più. Lo spettatore si
distrae in altri modi. Viaggi, esperienze di vita,
va persino al teatro e legge, nei casi peggiori.

[334]
Il film si ferma. Perché? Per varie ragioni. Una
certa avidità di guadagno da parte di chi li fa
non è da escludersi. Ma vediamo la ragione più

importante. Si tende a ripetere il successo precedente. Cioè si pensa che il pubblico sia uno scim-
mione che voglia sempre le stesse noccioline.

[335]
Ma il pubblico cambia. C'è ancora lo spettatore
che va sempre al cinema, ma c'è lo spettatore che
ci va ogni tanto e questo giudica. Non si va più
al cinema, ma a vedere il film, ogni volta.
È una differenza enorme.
La crisi dunque è questa, nello spettatore.

[336]
Le idee. Si sente parlare di mancanza di idee. Ma
le idee sono tutte lì. Bisogna saperle vedere e avere il coraggio di realizzarle. Ci sono registi che lo
fanno, produttori che hanno questo coraggio, altri no. La mia esperienza mi insegna che la maggior parte dei produttori temono le idee nuove o
sono legati da interessi troppo forti e mettono le
idee nuove in otri vecchi, ossia, i divi, i registi che
danno affidamento di successo, eccetera.

[1970]

[337]
Cinema e letteratura. Esperienze di uno scrittore nel cinema.

[338]
Ha imparato soltanto le azioni, e dimenticate
le descrizioni.

123

[339]
A che età bisogna uccidere il regista? Dopo qualche anno, il gusto del pubblico cambia, e il regista che insegue la sua realtà si accorge che non è più la realtà corrente.

[340]
Il cinema si serve delle scorie delle altre arti. Ciò che a voi non serve più, datemelo. Monologo interiore, musica elettronica, pittura astratta. E infine, il volto umano.

[341]
Tutti vedono le cose del mondo meglio del cinema. Ma il vantaggio del cinema è che fa vedere ancora le cose del mondo.

[342]
La realtà è quella che noi riusciamo a far passare per tale.

[343]
Lo sceneggiatore è un tale che attacca il padrone dove vuole l'asino.

Erotica leggera [1970]

[344]
Hair – al Sistina. Tutto smagato. Pizzerie a due passi, Giovannini e Garinei nel vestibolo, i giovanotti che hanno timore di farsi vedere il sedere, come ragazzi che escono dal mare

con le mutandine calate e gli amici che ridono. Sospetto che l'italiano non ami il nudo se non in astratto. E vestito. Non ha nessuna protesta sessuale da fare, nessuna educazione da pretendere. Fa quel che gli detta l'istinto. L'ideale è scopare, non importa come e quando e chi.

La scena finale diventa la scena del distretto quando c'è la visita medica. Tutto dipende dal diverso comportamento anglosassone e latino verso il sesso. Il peccato. L'inferno che l'italiano si ostina a immaginare come un luogo dove, bene o male, si sta con le donne nude e dove coi diavoli ci si mette d'accordo.

[345]
Amore. Sentimento che si prova per un'altra persona. Affetto ma generalmente senza affetto e senza stima. L'amore come passione, possesso.

[346]
Amante. Una specie di moglie e di marito che col tempo diventa insopportabile.

[1970]

[347]
È ormai provato che gli intellettuali sono la rovina dei quartieri per bene. Si insediano in un quartiere e dopo pochi anni il quartiere entra nella moda, tutto cambia e quando la vita vi è diventata impossibile ecco gli intellettuali che

trasmigrano verso un altro punto della città per stare in pace e rovinarlo. Parigi conosce bene questo flagello. Montmartre abbandonata per Montparnasse e questo per Saint-Germain-des-Prés, ora diventato centro di sfrenato consumo. A Roma qualcosa di simile è successo per via Veneto pubblicizzata, fatta invadere dai turisti, e infine abbandonata per piazza del Popolo, ormai diventata anch'essa infrequentabile. Quale sarà il prossimo spostamento? I quartieri che offrono isole pedonali? Ma le isole pedonali hanno questo difetto d'origine: che se ne vanno le automobili e irrompono i pittori. Tra le due categorie non si sa quale preferire. Oggi non solo tutti hanno un'automobile ma tutti dipingono. Sono due modi di realizzarsi, il primo sul piano del prestigio aggressivo, l'altro su quello della ricerca d'identità. E le città continuano a diventare brutte, le strade sono semplici corsie, dove non c'è più da sperare di passeggiarci, nemmeno di notte, quando la follia degli automobilisti che rincasano rende precaria la vita dei passanti.

[Estate 1971]

[348]

In questi giorni di calma, percorrere le strade della città, è certamente piacevole, benché il girovagare sia turbato da un senso che sulle prime si stenta a definire e si rivela man mano per disgusto. Difatti in questi giorni i grandi cartelloni pubblicitari risaltano in tutta la loro tetra solitudine. Si può, d'accordo, non degnarli di uno sguardo, ma è difficile, si finisce per restarne circondati. E allora ci accorgiamo che in questo paese il cinema è una pura espressione di volgarità trionfante. Il film di Pasolini, Decameron, è la scimmia che ha aperto la gabbia alla tigre. Ormai Boccaccio dilaga, hanno scoperto l'Aretino, scopriranno il Bandello, poi il Lasca, il Sacchetti; nessuno li può fermare.

[1971]

[349]
La lingua italiana non è adatta alla protesta alla rivolta alla discussione dei valori e delle responsabilità, è una lingua buona per fare le domande in carta da bollo, ricordi d'infanzia, inchieste sul sesso degli angeli e buona, questo sì, per leccare. Lecca, lecca, buona lingua italiana infaticabile fa' il tuo lavoro per il partito o per i buoni sentimenti, ma lascia la rivolta e la protesta al massimo...

[1971]

[350]
31 dicembre. È da stamattina che stanno sparando, fuori. Cominciano a salutare l'anno nuovo. Alle due del pomeriggio è già pericoloso girare per strada. La mia idea di partire alle

nove per non assistere alla baraonda e passare
così la notte dell'ultimo dell'anno in treno
non ha più senso. Ma partiamo lo stesso. Non
si trovano taxi. Ci accompagna un amico. Alla
stazione non si trovano portabagagli, c'è un
vecchio che fa il portabagagli abusivo e chiede
una somma spropositata per portare al treno
col suo carretto le nostre valigie. Benissimo.
Nella stazione sparano e si sente, nelle pause, il
borbottio di tutta la città che spara, nei quartieri vicini e più lontani. Non si capisce perché.
Sfugge tutto. Forse sbagliamo noi a non accet-
tare il punto di vista della maggioranza. Sparare per sentirsi che cosa? Più forti, più allegri,
più mandolinisti? Non si capisce. Il treno infine è una soluzione.

Alle undici della mattina dopo arriviamo a
Montreux. La stazione è deserta. Il giovane
portabagagli si toglie il berretto e tenendolo
tra le due mani ci dice: «La coincidenza parte
tra un'ora. Dieci minuti prima troverete il vostro bagaglio sul treno. Avete tempo di fare un
giro per la città o per andare al caffè. Ce ne sono due. Uno nell'interno della stazione, l'altro
di fronte. Grazie». E se ne va con un accenno
di inchino.

La città è deserta. Un sole pallido sfiora la neb-
bia del lago. Cigni, anatre e gabbiani lungo la
riva. Passeggio tranquillo.

[1972]

[351]

Piangere a dieci anni dalla sua morte su Marilyn Monroe è come piangere su Cleopatra. I giovani di vent'anni non la conoscono, è un evento storico che non li tocca, hanno altri amori, altri miti. E allora? Niente, parliamone lo stesso, ma attenti a non commuoverci. Marilyn Monroe è l'ultimo personaggio che ci ha dato l'America, l'unico sopportabile e naturale.

[1965-1972]

[352] *La critica dell'ambiguità*

Dieci anni fa si poteva riscoprire la Traviata, adesso anche questo è stato fatto. Non ci resta che la strada dell'ambiguità, dire e non dire. Contraddire significa essere tacciati di vecchiaia, che non è più il segno della saggezza, ma dell'incomprensione.

[353]

«Lo chiamano Teatro popolare» diceva Renard. «Ma lo chiamino aristocratico e il popolo ci andrà».

[354]

Teatro borghese, o di evasione. Ora non c'è nessuno come il borghese che non desidera evadere dal suo sistema. L'evasione è piuttosto il pensiero costante dei carcerati. Per gli operai il teatro rivoluzionario è teatro di evasione – visto che ormai la rivoluzione è rinviata o ha infiniti programmi, da quello culturale a quello cubano, da quello revisionista a quello hippie.

Cose nostre [1965-1972]

[355]
Se un sociologo superficiale volesse stabilire la composizione del pubblico dei cinema in base ai film che hanno più successo dovrebbe arrivare alla conclusione che il pubblico è fatto per una metà di maniaci o inibiti sessuali, sadici e assassini prezzolati o dilettanti; e per l'altra metà di truffatori e ladri. Naturalmente sappiamo che non è così, e che il pubblico va a chiedere allo schermo una vita di scorta, di ricambio che nella realtà rifiuterebbe. Questa vita di ricambio è la vecchia, cara evasione: che non può essere eroica se non nella misura in cui la moda lo permette; cioè di ribellione alle convenzioni. Il cinema semplifica il discorso: la rivoluzione sessuale diventa sullo schermo per la stessa forza delle immagini non liberatrice ma vincolante alle suggestioni. E siccome ogni nuova audacia annulla le precedenti, il Sesso finirà nel ridicolo, dopo aver tentato l'ultima carta che gli rimarrà: l'erotismo dialettale.
Circa il sadismo, per il quale gli italiani non hanno, come altri popoli, una vera vocazione, né letteraria, né filosofica, ma soltanto teppistica, prevedo la fine nella noia. Resisteranno in-

vece la truffa e il furto, che lusingano la fantasia. La ferma simpatia per i cosiddetti ladri sgorga nello spettatore dal dubbio per la sua inutile rispettabilità. Lo spettatore ama immaginarsi migliore di quello che è (cioè crudele, libertino, violento) nella presunzione di divertirsi; ma si immagina ladro solo per rendersi giustizia.

[1965-1972]

[356]

Da un anno, ogni spettacolo mi annoia profondamente. Forse perché noi stiamo mettendo del vino nuovo negli orci vecchi. La società, noi stessi, tutto si sta trasformando e ci accorgiamo che quel che ieri ci appariva fondamentale oggi non regge che l'inganno del passato. Il teatro non è più necessario, anzi a questo punto è inutile. Gli esperimenti mi rattristano. L'esperimento riesce sempre e lo spettatore muore. Non credo nemmeno ai riti, alle confraternite teatrali tipo *Living*: esse agiscono in un mondo non più tribale, cioè si rivolgono a un pubblico non ignaro e naturale, ma colto e angosciato dalla tecnologia. Un'isola deserta non è più deserta: è soltanto periferia. Non si evade più. L'ingranaggio è troppo potente e ubiquo. Siamo maturi per una globale ora del dilettante: ognuno dica la sua, ma in fretta. Il poeta che canta la disperazione di questo mondo fa ridere, perché la sua disperazione si tra-

muta in diritti d'autore. Può uccidersi: e allora
arricchisce gli eredi. L'attore non esiste: o è un
iscritto al sindacato, e vuole dei miglioramenti,
o è un giovane a cui tutti i mass-media offrono
qualcosa eccetto il teatro, che gli offre soltanto
altra disperazione e il vuoto dei consensi im-
mediati, che non si negano più a nessuno. Il
teatro è limitato all'happening, alla cosa che
sta avvenendo e alla quale partecipiamo. Esempio: il traffico è teatro. Ci stiamo dentro. Ogni
lunedì il lettore che trova recensito sul giornale l'imbottigliamento di sei ore sull'autostrada
di Ostia, dice: «È vero, c'ero anch'io» ed è sod-
disfatto perché a suo modo ha partecipato a
un happening. Ha sete di cose che stanno ac-
cadendo, non di cose che sono già accadute.
Scrivere per il teatro è come scrivere poemi in
ottava rima o sonetti, una forma che non ci riguarda più. Ogni tanto qualche furbo lancia
una nuova etica teatrale. Ipotesi che non risu-
scitano il cadavere. Abbiamo già tanta pena a
vivere questa vita che non possiamo immaginare di rappresentarla. Chi sta cadendo non fa
progetti, spera solo di potersi fermare.

[1965-1972]

[357]
Teseo entra nel labirinto per uccidere il Minotauro. Non trova nessuno, va avanti indietro,
nessuno. Di colpo si accorge che il Minotauro
è lui stesso. Si tocca la testa, sente le corna. Il

pelo, le zampe. Pieno di terrore, perché sa che Teseo lo va cercando, è entrato nel labirinto per ucciderlo. Fuga disordinata del Minotauro-Teseo. Sbatte la testa, inciampa, cade, si rialza ansante. Vede Arianna. Oh, Arianne, ma soeur! – Ma Arianna è lì: col suo filo in una mano e una spada nell'altra mano, per ucciderlo.

(Tipo di commedia francese da rappresentare a Parigi, in un teatrino d'avanguardia, dove il Minotauro è di casa).

[358]
Gli italiani, poiché identificano ogni idea di peccato col Sesso, credono che l'Inferno sia un luogo dove bene o male si organizzano orge un po' dolorose ma tuttavia divertenti, visto che i peccatori sono nudi.

Gli invisibili [1965-1972]

[359] La donna invisibile

Un uomo sui trentacinque, simpatico, con le sue manie. Moglie adeguata, brava, un po' gelosa, sogni di tenerezza. La donna invisibile viene a turbare la fantasia di lui un giorno a tavola. La moglie non vede la donna, che lui vede. La invisibile è bella, simpaticissima. Cambierà volta a volta di tipo e carattere. Sarà infantile, matura, affascinante, debole, innamorata, indifferente, gelosa, amabile, in una parola perfetta. Mette un po' a disagio lui perché ha sempre paura che ella riveli la sua presenza. La prima parte è la storia di quest'amore tra lui e la donna che si rende invisibile.

Poi, un bel giorno, anche la moglie ha un uomo invisibile. Ragazzo, maturo, canaglia, operaio, gran signore, tenero, rude, adorabile. La coppia vive con questi invisibili in casa. Felicità. Aria nuova. Le abitudini vengono leggermente sconvolte.

Terzo tempo: i due invisibili si conoscono. Fanno amicizia. Un bel giorno scoprono di amarsi. Lasciano soli i due.

Non andare avanti [1965-1972]

[360]
Bisogna tornare ai fondali di carta, alle porte che non chiudono, al suggeritore sotto la cupola, alle luci di ribalta, alla sonaglieria della carrozza in arrivo. Bisogna vedere un pezzetto di pompiere tra le quinte. E all'alzarsi del sipario, due camerieri spolverano i mobili e parlano dell'antefatto.

Lasciate andare avanti il cinema, avido di cose reali, il Teatro deve essere falso e affascinante. Nel teatro si ritrovano i simboli delle cose perdute di vista.

APPENDICE

DON'T FORGET

La plupart des hommes célèbres meurent dans un véritable état de prostitution.

(1853 Sainte-Beuve)

Ezra Pound, un divulgatore da villaggio. Se siete un villaggio va bene, se non lo siete, no.

(G. Stein)

– Et avec les fromages, Monsieur?
– Bah, avec les fromages, le vin ordinaire.

... Né stimavano gentilezza alcuna; e quando non avevano più che permutare, da loro partendo, li omini ne facevano tutti li atti di dispregio e verecundia che può fare ogni brutta creatura, come mostrar el culo, e ridevano.

(Verrazzano)

Perché l'italiano medio ride sempre e vuol ridere.
Perché vede nello sport soltanto una lotta di comuni, di quartieri, di tribù.
Perché vuole la propria libertà e disprezza l'altrui.

Perché odia tutto ciò che è antico – e spregia le tradizioni oneste ma non le volgari.

L'impotenza cerca salvezza nell'omosessualità.

L'arte della poesia a rovescio (Poe) si fonda sull'allitterazione e la paranomasia, sugli echi che ogni parola produce nel tessuto della seguente – Raven-never Bust-beast etc. confr. Jakobson.

Gli oggetti che ruotano attorno alla Terra sono 74.000 circa.

Al limite, ogni persona reagisce secondo il carattere.

L'italiano è mosso da un bisogno sfrenato di ingiustizia.

Uomini-gruppo di Steinbeck (vedi Wilson, Edmund).

Vivere a Roma è un modo di perdere la vita.

L'eroe putrido.

Il ventre ha paura di morire di fame.

Nell'amplesso l'uomo e la donna festeggiano la emancipazione dal mare. La donna ha creato nel suo bacino un mare miniatura dove l'uomo va a fecondare le uova. Ogni amplesso è una festa commemorativa, un 14 juillet (vedi Ferenczi).

Teatro impossibile. Gli americani hanno risolto la questione spogliandosi, come i bambini.

Napoli, canzoni napoletane; Sicilia, mafia; Sardegna, brigantaggio; Milano, affari; Torino, macchine; Venezia, sta morendo; Firenze, dev'essere salvata; Roma, cresce come un cancro; etc.

Domani: la crisi del collage invece della crisi del romanzo.

Quando l'uomo non ha più freddo, fame e paura è scontento.

Ci sono molti modi di arrivare, il migliore è di non partire.

La zebra ha il pigiama, ma non ha la vestaglia.

Un giovane, va incontro alla vita: cioè, è la vita che da dietro lo spinge.

Aspettare che le cose maturino da sole, non prendersi pena per anticiparle. Trarre dalla vita quel poco che può darti giorno per giorno, non macerandosi per un domani che deve comunque arrivare, o che può non arrivare.

Si può chiedere tutto e l'avrai, poco e non l'avrai. Ricordati che ti mancano pochi anni. Ma non fare del male.

Siamo tutti attori: i migliori quest'anno erano a Praga.

La massa e il Teatro: la massa crede soltanto agli spettacoli ai quali partecipa: calcio, vacanze, sesso.

La guerra è un happening, e questo spiega il successo che ha sempre avuto.

Le avanguardie si trovano spesso ad essere superate dal grosso dell'esercito.

L'informazione ha reso superflua la città e reso la provincia libera di scegliere; ma solo in città l'uomo sa eliminare e arrivare a una scelta.

L'italiano è una lingua parlata dai doppiatori.

L'uovo. Simbolo della sopravvivenza, transcensione del seme vitale (sperma).
Si metteva nei sarcofaghi.

Emblema dell'uovo filosofale, chiamato Athanor dagli alchimisti, rappresenta il nucleo della vita.
La Terra è a forma d'uovo, schiacciata ai poli.
Riportarsi al simbolismo di Bosch, nel giardi-

no dei supplizi, dove dall'uovo esce la forma viziosa.

Il corpo sferico, Origene (v.).

«Fai cadere il formaggio del tuo sorriso sui maccheroni del mio amore».

(Petrolini)

Bordel pour bordel
Moi, je préfère le métro
D'abord c'est moins cher
Et puis c'est plus chaud.
(Aragon)

Il dolore come rappresentazione della quale noi siamo l'organizzatore, il regista, l'attore e lo spettatore.

Ci guardiamo il cazzo come se aspettassimo da lui una decisione.

La conchiglia fossile della collina
ha confusi ricordi del pliocene
pure manda all'orecchio la voce vicina
del mare e il canto delle sirene.
Marzo '67

Mi sembra ormai che basti
di ammirare Les bonnes
più frequento i pederasti
e più amo le donne.

Un quaderno i cui fogli sono ingialliti aspettando che ci scrivessi qualcosa. Ma è proprio la loro attesa che allontana la penna. Come quelle signore incaute che nel mezzo della conversazione dicono: Parliamo un po' di letteratura, e nessuno parla più.

La part maudite, di Georges Bataille.
The gifts.

Je me suis promené ce matin avec un beau jeune homme fort instruit et parfaitement aimable. Il écrivait ses confessions et avec tant de grâce que son confesseur le lui a défendu: «Vous jouissez une seconde fois de vos péchés en les écrivant ainsi, dites-les-moi de vive voix».
(Stendhal, M. d'un Tour.)

Machiavelli: Il Principe libro satirico. Non dà consigli al Principe ma enuncia ciò che ogni Principe farà trovandosi a governare un'Italia.

La Moda: seguire la moda è per una donna (ma anche per un uomo) una garanzia di sicurezza. Nietzsche dice: non si è dato mai il caso di una donna che abbia preso un raffreddore con un vestito scollato di un grande sarto. Dove il *grande sarto* garantisce la donna di essere nel giusto e aumenta le sue difese psicologiche contro il freddo.

Seguendo la moda, uomo e donna respingono il dolore, si mettono nelle condizioni dei fachiri.

I sogni della ragione partoriscono mostri.

(Goya)

L'uomo non può tornare indietro al suo paradiso perduto. Tentativi, in quest'epoca tecnologica, di tornare indietro, da parte di gruppi o di particolari società (hippies, etc.), falliscono nella contraddizione tra la raggiunta libertà dalla natura e il desiderio infantile di respingere le responsabilità sociali.
Cioè: l'uomo agisce in questi casi sapendo già che la soluzione del problema è un'altra.

Ricercare dove comincia l'abbandono della lotta e quali ne sono state le cause.
Collegio, abbandono dei genitori, insicurezza familiare. Oppure carattere, indecisione – sensualità – Lavoro lungo e inutile.
Bisogno di sostituire la sicurezza con l'ironia. La donna vista sempre come porto sicuro (immagine della madre) l'amico come fratello (da tradire per punirlo della preferenza materna) il padre come se stesso (già condannato e colpevole).

Il Messia potrebbe prevedere quest'analisi; partendo dalla colpa prima, l'incesto con la sorella. Che gli resta come miraggio, anche – sul quale modella i futuri amori.

Lévi-Strauss: «Il mio marxismo, a differenza di quello di Marx, è un marxismo pessimista. Nella misura in cui mi lascio andare a speculare sul movimento complessivo dell'umanità... la vedo evolvere non nel senso di una liberazione ma, direi senz'altro, di un asservimento progressivo e sempre più completo dell'uomo al grande determinismo naturale».

(Aut-Aut, n. 77)

«Il mondo è cominciato senza l'uomo e finirà senza di lui. Le istituzioni, gli usi e costumi che per tutta la vita continuerò a catalogare e a cercare di comprendere, sono un'efflorescenza passeggera di una creazione rispetto alla quale non hanno senso alcuno, se non forse quello di permettere all'umanità di sostenervi il suo ruolo».

(Tristi tropici, p. 402)

«La vita e il pensiero sono perpetui solo in modo statistico e non assolvono alcuna funzione nell'evoluzione dinamica dell'Universo. La vita è apparsa, si è evoluta ed è scomparsa su una miriade di pianeti in un ciclo di qualche miliardo di anni, limitata nella sua durata da eventi cosmici o per effetto della sua stessa evoluzione».

(Dauvillier, orig. fotochi. della vita)

Teatro della crudeltà
Teatro della derisione
Teatro dell'assurdo
Teatro dell'inazione

«Potrei vivere in un guscio di noce e credermi re dello spazio infinito, se non fosse che ho brutti sogni».

(*Amleto*, II, ii)

144

O eco singolare di una casa editrice milanese! Non solo ripete saggi, ma li traduce dall'inglese.

Bisogna agire come bambini, rischiare le sculacciate. «Quando non si è più ragazzi, si è morti».

(Brancusi)

Un ebreo a un altro ebreo racconta di aver visto Il vangelo secondo Matteo, di Pasolini.
Basta, si è convinto, vuol convertirsi. Diventi cristiano? – Macché, pederasta.

«Tale è l'accesso interno, l'ulcera provocata da tanta ricchezza e tanta pace, che rompe e infetta dentro, senza che al di fuori si possa riconoscere alcuna causa per cui l'uomo che ne è affetto se ne muore. Vi ringrazio umilmente, signore».

(*Amleto*, IV, IV)

Se temete la solitudine, non sposatevi.

(Cechov)

Le phallus en ce siècle devient doctrinaire.

(H. Michaux)

Un tale mi indicò una strada dicendo: È la seconda dopo quella scritta Giù le mani dal Vietnam.

Logica apparente e ragionamento sofistico (v. Freud).
Tecnica della battuta di spirito.

– La ragazza mi piace. È bella, ricca, giovane, colta.
   Nell'annuncio accennavate ad un piccolo difetto fisico. Di che si tratta?
– È incinta. Oh, ma pochissimo.

La vera lezione che si può trarre da: Date e vi sarà dato, è questa: l'esperienza ci insegna che:
Se voi date, vi sarà tolto tutto. Bisogna confondere l'esperienza, annullarla, ignorarla.
Chi attira l'attenzione dei cupidi, degli scrocconi, delle meretrici, del fisco, sarà spogliato dei suoi averi.
Dicendo: Date e vi sarà dato, Gesù ipotizza un mondo dove le azioni sono contrarie alla norma del nostro mondo – *e fa una battuta di spirito*.

Cfr. Baudelaire: Quando Gesù dice: Beati gli affamati perché saranno saziati – fa un calcolo di probabilità.

Tosca, la più kafkiana delle tragedie moderne. Nell'unità di tempo, 24 ore, i quattro personaggi principali muoiono per una causa che li tocca solo indirettamente, ma fatale.
Dal momento che l'Evaso chiede aiuto a Cavaradossi, il destino di tutti e quattro è segnato, perché nessuno può agire diversamente da come agisce.
Cavaradossi deve concedere rifugio all'Evaso, Angelotti. Scarpia deve cogliere l'occasione

per avere Tosca, costei non può esimersi dalla necessità di uccidere Scarpia, né dall'uccidersi quando scopre che Cavaradossi è stato fucilato. L'Evaso si uccide perché scoperto, in seguito alla delazione di Tosca.

Tosca e Scarpia commettono un falso, l'uno nei confronti dell'altro (Game's Theory).

Il solo innocente, per delicatezza, è Cavaradossi, che «ama tanto la vita».

Questo personaggio serve per negare la necessità della tragedia, che tuttavia avviene totalmente.

Enfasi, Iperbole, Tautologia sono alla base del linguaggio cinematografico.
a) enfaticità dell'ingrandimento
b) iperbole estetica, tutto bello, seducente, parametrico
c) tautologia delle immagini.

> Se il crine è un Tago
> e son due soli i lumi
> non vide mai maggior prodigio il cielo
> bagnar coi soli e asciugar coi fiumi.

Gli studi di Mondrian contemporanei a quelli di Mies van der Rohe.

Mies van der Rohe nato 1886.

Van Tongerloo, pittore e scultore, De Stijl.

Van Doesburg, Theo, fonda con Mondrian la rivista De Stijl, 1917. Frequenta la Bauhaus a Weimar.

Walter Gropius «Fonction et Construction».

Paul Klee, insegna alla Bauhaus dal '20 al '31.

«Gruppo dei 4 Blu»: Kandinsky, Jawlensky, Klee, Feininger.
Manoscritto dato il 28 novembre – riveduto fino al 12 dic.

«Come avviene tra gli indigeni della Nuova Guinea il vero scopo del matrimonio non è tanto quello di ottenere una moglie, quanto quello di assicurarsi un cognato».

(Lévi-Strauss – La famiglia p. 150, Razza e storia etc.)

... «Donammoli a mangiare de le nostre vivande, quale con grangusto acceptava: la giovane tutto renunziava e con ira a terra gittava. Pigliammo el fanciullo a la vecchia, per menare in Francia; e volendo prendere la giovane, quale era di molta bellezza e d'alta statura, non fu mai possibile, per li grandissimi gridi spandeva, la potessimo condurre al mare. E avendo a passare per alcune selve, essendo da la nave lunge, deliberammo lasciarla, portando solo el fanciullo».

(Dalla lettera di Verrazzano al Re di Francia 1524)

«Ma parendo alla Fortuna ch'io avessi troppo bel tempo fece che capitò a Parigi un Cammillo Calfucci...».

(*Mandragola*, I, 1)

4 dicembre – Muore Mario Olivieri – Nella va-

sca da bagno, per collasso. Uomo straordinario, di grande bontà e intelligenza.

25 dic.

Noi non cerchiamo mai le cose, ma la ricerca delle cose.

(Pascal)

(ossia l'uomo è felice solo quando si distrae dal pensiero della morte facendo cose inutili, «correndo dietro una lepre o una palla»)
Esempio del giocatore che non sarebbe felice se qualcuno gli desse il denaro della vincita senza giocare. E che non si diverte se gioca senza una posta di denaro.
Ciò che l'attrae è la «ricerca» del gioco.

C'è gente che eredita la fede, come eredita i terreni, il casato, i titoli nobiliari, il denaro, una biblioteca e il castello. Fede per censo, ereditaria.

Non è l'educazione che fa i popoli, ma i popoli che fanno l'educazione.

I capolavori oggi hanno i minuti contati.

Satyricon, di Fellini. La storia d'Italia immaginata in sogno. C'è tutto:
Simbolismo.
Surrealismo.
Franz von Stuck.
Klimt – Sezession viennese.
Ipotesi afrocubane – Moda –

E poi: Sergio Leone (la violenza dei ragazzini)
Jacopetti (la violenza del borghese)
Il Sadismo allegrone ed esoterico di Bosch e la
crudeltà medievale.
I mercati generali, Testaccio, la Roma che vive
come un ippopotamo nel suo brodo.
San Gallicano, la mostruosità trionfante.
Quartieri popolari di Napoli. La famiglia che si
prostituisce totalmente. «Favurite, signo'».
L'esagerazione concitata apposta.
E poi: una certa difficoltà ad essere semplice,
virile.
Introversione che viene dal dubbio della fede.
Desiderio di credere non portato a termine, per
stanchezza.
Una caduta nel sonno.
L'impotenza che cerca salvezza nell'omosessua-
lità.
La donna è soltanto Maga, Maliarda, Prostitu-
ta, Meretrice, Ninfomane, Troia o Serva di Ca-
sino.
Ma non esclude mai l'innocenza.
Le ingenue della vecchia commedia sono ora
le negre.
Donne negre, felici, battono le mani, cantano,
sorridono.
L'uomo è desiderabile nell'Eroe putrido.
Gli altri uomini sono servi, mostri, professioni-
sti inutili, schiavi, mai liberi – anche quando
sono tiranni e possidenti.
L'uomo uomo libero si uccide – ma l'autore
non ci crede – si rifà ai coniugi di Pompei, cioè
vuol credere attraverso l'iconografia.

Si tagliano mani, teste, si accoppano animali.
I bambini dal volto di cera, ambigui, canaglie
che cresceranno e supereranno i padri. Volti di
piccoli santi rimasti intatti nelle loro teche.
Gusto violento, all'Artaud. Crudele, per disperazione.
Non si vive cinquant'anni in Italia senza esser-
ne toccati e, alla fine, sorpresi.

Avarizia, Gola, Ira, Lussuria, Accidia, Superbia
e... ne manca sempre uno, è il vostro, Invidia.

È azzardato dire: ogni lombardo è affarista, o-
gni meridionale lenone, ogni romano scansa-
fatiche, ogni toscano fazioso. Ma:
in un campo di prigionieri nel Kenya, dove era
consentita una certa libertà individuale, e che
comprendeva in uguale misura soldati di quelle regioni, un testimonio ha osservato che, dopo un certo tempo, essendosi verificate le condizioni di libero scambio, gli affaristi erano
lombardi, i lenoni meridionali, gli scansafati-
che romani, i faziosi toscani, eccetera. E ognuno conosceva bene le attitudini degli altri, come ogni animale conosce quelle degli altri animali.
Le razze esistono in quanto esseri umani nascono con attitudini ereditarie diverse e tra-
smettono ai loro eredi queste attitudini; che
diventano filosofia, comportamento, modo di
intendere la vita, la passione e il prossimo; e
che di fronte a ogni situazione reagisce [sic] secondo la memoria ereditaria inconscia.

Non chiedete a un arabo ciò che chiedereste a
                              un pellerossa
popoli hanno sete di giustizia
e altri di ingiustizia
popoli credono che la vita debba essere vissuta,
altri che debba essere mortificata
popoli praticano l'eguaglianza
altri la ritengono offensiva per loro,
che vivono nella disuguaglianza.

Il Fascismo conviene agli italiani perché è nella
loro natura e racchiude le loro aspirazioni,
                                        esalta
i loro odi, rassicura la loro inferiorità.
Il fascismo è demagogico ma padronale
retorico, xenofobo, odiatore di cultura,
spregiatore della libertà e della giustizia
oppressore dei deboli, servo dei forti,
sempre pronto a indicare negli « altri »
le cause della sua impotenza o sconfitta.
Il fascismo è lirico, gerontofobo,
teppista se occorre, stupido sempre, ma
alacre, plagiatore, manierista.
Non ama la natura, perché identifica
la natura nella vita di campagna,
cioè nella vita dei servi; ma è cafone,
cioè ha le spocchie del servo arricchito.
Odia gli animali, non ha senso dell'arte,
non ama la solitudine, né rispetta il
vicino, il quale d'altronde non rispetta lui.
Non ama l'amore, ma il possesso.
Non ha senso religioso, ma vede nella
religione il baluardo per impedire agli altri

l'ascesa al potere. Intimamente crede in Dio, ma come ente col quale ha stabilito un concordato, do ut des. È superstizioso, vuol essere libero di fare quel che gli pare, specialmente se a danno o a fastidio degli altri.
Il fascista è disposto a tutto purché gli si conceda che lui è il padrone, il padre.
Le madri sono generalmente fasciste.

Proverbi abruzzesi:
– Giochi di cani finiscono a cazzo in culo.
– Li bardisce: o te scuncache o te scumpisce.
  (I bambini: o ti fanno la cacca addosso o ti pisciano addosso).
– Modi di dire: Mo' ce vo' lu fatte; ossia: Adesso è il caso di citare quel fatto...

Frivolità di un non credente che non crede nemmeno a questa necessità. A Dio spiacente ed ai nemici sui.

Gesù scrisse una sola volta, sulla sabbia, davanti alla adultera, e cancellò quello che aveva scritto.
Mutava l'acqua in vino, moltiplicava i pani e i pesci miracoli di massa, conosceva bene il suo pubblico.

Aumentano gli anni e diminuiscono le probabilità di diventare immortali.

L'uomo è apparso sulla Terra 60.000 anni fa circa. La Terra ha invece 5 miliardi d'anni circa. E la Terra, che sappiamo derivata dal Sole o dalla frantumazione di altra stella, è dunque rispetto all'Universo quello che è l'uomo rispetto a lei. L'uomo quindi è un derivato di un derivato. Perché escludere che egli sia guidato dalle stesse forze che hanno guidato, misteriosamente (o meglio inspiegabilmente), l'Universo? Forze biologiche, che lo plasmano a seconda di una geometria assoluta, che non conosciamo? Da qui parte l'astrologia.

Time is a waste of money.
(Wilde)
Il Tempo è uno spreco di denaro.

Immaginarsi la vita di un uomo nel neolitico, o meglio nel paleolitico. La notte, la necessità di procurarsi ogni giorno il cibo, i mal di denti, la vecchiaia che preannuncia la morte violenta (sarà eliminato) il dominio sulle donne e i giovani della famiglia.

La felicità che Lévi-Strauss trova nella tribù del Mato Grosso è la stessa di certi animali in periodo di quiete. I gatti si strofinano, i cani si leccano, eccetera. La felicità è la sospensione della paura e della fame.

I numeri di Fibonacci, di Voroboyov –
Milano, Progresso Tecnico Industriale 1965 –
L. 900

Moralistica su ogni questione. Intollerante. Perseguitata. Piena di colpe immaginarie. Snob. Avara di se stessa ma intelligente al punto di capire che solo nel darsi è la calma: si dà, ma moralisticamente.
Apprezza solo quelle persone che io detesto o che invidio.

Il paese dei mandolinisti è diventato il paese dei chitarristi elettrici.
Il paese dei giovani è sempre il paese dei giovani.
Mussolini passa, il giovane resta, è immortale.
Li conosciamo, vogliono lavorare: fare il regista, entrare alla televisione, aprire un teatro.

1° gennaio 1970

Un Natale passato tutto a Roma può uccidere un bue.
Non si va al centro, perché tutti ci vanno.
A Capodanno, sulla sporcizia, i romani ne buttano altra dalle finestre, per festeggiare l'anno nuovo.

Musazzi: Oh vita, oh vita stracca.

Battute: – andiamo a occupare l'Ateneo.
              – Chi è l'Ateneo?
              – Uno che non crede in Dio.

              – e ci aggiunga al clistere due cucchiai di bicarbonato
              – e perché devi scumpagnà el servizi?

              – la scena della busta paga.

Vaffangule, la fesse de sórete, cacame 'o cazze,
addirrizzate tubbe,
la fregne de mámmete
a rottinculo!
a sgallettata!
a pompinara!
a pipparola!
vattaffadánderculo!
cca' nisciuno è fesso
de la sorcaccia tua
me so' stufato
lo vojo mette n'culo
a tu' marito.

Arbasino:

tabù tetanici	mesta pratica	tentazioni inesauste
interdetti agonici	déconfiture	
atroci villette	panoplia	
irrilevanti	deliquescente	
magma	Jean-Paul	
derisoria	l'estasi didattica	

Scrive come la fu Irene Brin – o come una bou-
tique.

L'Avv. Tammeo al Sig. Ceccarelli:
«La salute è l'unità che dà valore all'insieme
della vita».

Dal film: Che cosa faceva Stalin alle donne – di
Liverani

– Stalin era più che un eroe, era un uomo che sapeva vestire
– Trotzkij amava l'eleganza e le uniformi, se ne fece disegnare una da un sarto di Hollywood
– Lenin viaggiava per la Russia in Rolls-Royce
– Togliatti si circondava di collaboratori ben vestiti
– Krusciov non sapeva vestire
– Malenkov era grasso
– La rivoluzione è il soviet più l'elettrificazione
(Lenin)
– La rivoluzione è il soviet più la pensione.

Morale:
La pensione è il soviet meno la rivoluzione.
Tutto si riduce all'eleganza.

La vita sarebbe sopportabile se non ci fossero i piaceri.

(Sainte-Beuve)

Firenze 9 febbraio '70

Ricerca di Paolo Uccello. Gli Uffizi chiusi, il Grotto Verde di S.M. Novella in restauro.

La fiorentina si spogliò: sotto il seno, una linea scura indicava il livello dell'acqua nell'alluvione del 4 novembre '66.

Bontà e semplicità del cibo. Dove la semplicità diventa raffinatezza. Il grigio degli intonaci qui a suo agio, altrove burocratico.

Molti muoiono a Firenze non avendo potuto nascerci.

Niente razzismi, d'accordo. Ma la razza è un modo di vivere. Ed è qui che sono possibili le distinzioni.

La Signora diceva: Io non so veramente chi sono i miei figli (ne aveva tre), non assomigliano né a me né a mio marito. Le risposi: Noi crediamo di mettere al mondo dei figli e mettiamo al mondo degli antenati, rifacciamo modelli di altri secoli, bisavoli, trisavoli, antenati della notte dei tempi. È l'unica forma di immortalità che ci è concessa: l'immortalità à rebours.

La sorpresa di Firenze, che si rinnova ad ogni viaggio. Il piccolo golfo dell'Arno, così bene «male» illuminato la sera nei lungarni (da p. Goldoni), la linea sempre aurea dei palazzi, lo svolgersi delle strade, la nettezza dei particolari, il nitore del cielo e dei profili.

Giornata di un uomo solo. Conversazione col negoziante, col taxista, col cameriere. Scambi di parole, piuttosto. Solo al ristorante, occupa un tavolo. Mangia per non deludere il cameriere. Compra giornali. Compra oggetti che non gli servono e non gli piacciono, libri che getterà via dopo le prime pagine. Al cinema. Guarda e si annoia. Va a pisciare. Sotto i portici una ragazza lo guarda e gli dice: Baffetto. Lui va per la sua strada. Prende un taxi e torna in albergo. Non succede niente.

Temporali. Neve caduta a Aosta, cattivo tempo a Roma. Sfilata di cinesi, soldati che manifestano contro l'URSS. Americani che manifestano per la pace nel Vietnam. Cagliari-Fiorentina 1-1. Il Papa benedice la folla. E così avanti.

Libro di Simone de Beauvoir sulla vecchiaia, La Vieillesse. Leggerlo. La tesi è semplice: il vecchio è un espulso dalla società perché non partecipa più al gioco del consumo. Il vecchio rattrista, lo si isola con gli altri vecchi. È un «povero di ritorno», reso avaro anche dalle esperienze e dalla paura di restare senza soldi. All'età della pensione l'uomo comincia a morire. La società non lo sopporta più.
Per assurdo, il vecchio potrebbe *rientrare* nella società moderna se si trovasse il modo di renderlo *economicamente* interessante: come è stato per il giovane, che dà impulso alle varie mode da quando può disporre di denaro.
Il problema è molto serio e nasce con la «famiglia coniugale» (marito, moglie, bambini) che sostituisce la «famiglia patriarcale» (nonni, padri, figli). Isolato dal contesto familiare, senza nipoti e senza autorità, il vecchio è un ingombro. (È la sconfitta del materialismo, questa).

Io sono la Menzogna e la Morte
Io sono la Verità e la Vita
Io sono la Volgarità e il Consumo

Aspettavamo la fine dell'Arte è venuta la fine della Moda.

L'oppio è ormai la religione dei popoli.
Vivere è diventato un esercizio burocratico.

All'inizio era la Parola.
Poi la Parola divenne incomprensibile.

Ho fatto qualche studio sulla stupidità umana ma non sono riuscito a provare che la mia propria stupidità.
Eppure quella che più colpisce è quella altrui.

Il presentatore televisivo riceve degli amici in casa. Si alza, fissa bene negli occhi gli amici e dice: E ora una sorpresa. Vi presento... MIA MOGLIE! Entra una donna, sorride, si inchina, vi sono applausi. (Deformazioni professionali).

La televisione mi fa dormire e mi lascia sempre insoddisfatto, come i veri sonniferi.

Tra pochi anni avremo un milione di studenti universitari. Questo fa pensare a un milione di laureati ogni anno. Il che significa l'intera massa qualificata tra un decennio. La cronaca dovrà registrare fatti di questo genere: Lite tra dottori per futili motivi – O anche: Uccide tre dottori piombando sul marciapiedi. E infine: Falso analfabeta smascherato.

Andava tutte le sere al cinema: così nella vita ricordava solo le azioni, dimenticava le descrizioni e non immaginava le conseguenze.

Voi scambiate la vostra noia per indignazione. Volete rompere il vasellame non perché avete deciso di farne a meno, ma per cambiarlo.

La rivoluzione contro la società dei consumi mi piace. Ma non riuscirà. Ci toglieranno il frigorifero per riproporcelo fra vent'anni come una conquista. Io invece farei a meno del frigorifero – per sempre.

Un'opera inedita di De Sade:
Il Sadismo come Embarquement pour la Révolution ovvero Les malheurs de la Vertu et de Marat.
(con canzoni)

Squarzina, il secondo della classe (il primo è Strehler). Crede nel teatro ed è un vero peccato che il teatro non creda in lui.
Da anni sparge sui palcoscenici la nuvola di un teatro amministrativo, che sta tra il partito e il museo delle cere.
Majakovskij pensava alla rivoluzione che diventa scolastica, tiranna e burocratica, pensava a tipi come Squarzina quando si è ucciso.

Le grandi frasi che non significano niente:
« La littérature c'est du langage chargé de sens. La grande littérature est tout simplement du

langage chargé de sens au plus haut degré pos-
sible ».

(Ezra Pound)

Gli «altri» sono, bene o male, la prova che noi stiamo vivendo. Non sottovalutarli.

Devoto: Fra 30 anni l'Italia sarà non come l'avranno fatta i governi, ma come l'avrà fatta la televisione.

La metafora – dice Aristotile – è chiamare le cose col nome d'altre cose.

Il Messia: riprenderlo sotto il punto di vista di protesta contro la vita come è vissuta oggi. Un Messia demologo, contro il matrimonio coniugale. A favore dei vecchi. Per i figli in comune. Per la tribù «libera» e ambulante.

Il 2 marzo, cena da amici. Al ritorno a casa, ore 1.30 colpito da pre-infarto. Due o tre giorni poi il 5 marzo infarto. Ricoverato al San Giacomo dal 6 marzo al 6 aprile. Dal 6 aprile passo alla clinica Villa del Rosario.

Un discorso sulle albe.

10 maggio – Sono passati 68 giorni e sono ancora vivo, è un bel successo. Tutto dovrà cambiare.

La morte ha la faccia di certe signore che te-

162

lefonano al bar col gettone: e a un certo momento, senza smettere di telefonare, vi fanno un cenno di saluto e di sorpresa.

Cadono i «tabù»

A me sembra che nell'ultimo quarto di secolo in Italia non vi sia stato un cambiamento sostanziale. La società si va apparentemente evolvendo verso un tipo di società americana, con la tendenza ad assorbirne più i difetti che i pregi: vedi, per esempio, il cattivo impiego del tempo libero, la scarsa partecipazione ai grossi problemi sociali che vengono strumentalizzati soltanto dai partiti politici.

Forse il risultato più notevole è la caduta di molti pregiudizi e di molti tabù, che ha permesso lo sviluppo di una gioventù tutto sommato più piacevole di quella della mia generazione, e comunque meno legata ai miti dell'obbedienza, del dovere e del sacrificio obbligatorio. A noi, della nostra generazione, hanno sempre chiesto di fare qualcosa per qualcuno, mai per noi stessi; ed è per questo che io guardo indietro alla mia giovinezza con un certo astio.

Vorrei soltanto che Dio, o chi ne fa le veci, tenga lontano da questo paese un sistema politico che ci costringa daccapo a credere, a obbedire e a combattere, o a essere «migliori» di quello che siamo; che in altre parole ci conservi la libertà, anche se questa è una parola che fa ridere.

15 giugno – I grandi dolori sono nudi.

Quando ero in pericolo di vita non pensavo che ai dettagli, adesso penso alla morte nella sua totalità. La fine di tutto o il ritorno, se volete, sotto una forma che non m'interessa né mi incuriosisce.

Lui aveva il senso storico della vita, io no, per me la vita è un seguito di probabilità.

6 febbraio 1971

L'Itaglia

Sciopero dell'Assitalia, in via Po. Gli impiegati coi fischietti.

Sciopero degli Artigiani in via Veneto. Gli impiegati coi campanacci.

Tutto come alla festa delle matricole o come prima della partita Italia-Brasile.

Lo scopo è il rumore, la carnevalata.

E non lavorare.

Molto rumore per tutto.

Lei non può immaginare quanto io non sia irremovibile nelle mie idee.

Satius est otiosum esse quam nihil agere.

(Plinius il G.)

Qui nihil agere ridentur, saepe maiore agunt.

No, signora, lo scafandro non può essere usato di sera, a meno che la festa non sia dichiaratamente un naufragio.

Ho letto i suoi versi e trovo che gli endecasilla-bi che lei usa sono più lunghi dei miei.

29 marzo 1971 – L'italiano è il più adatto alla sopravvivenza, in un mondo che si avvia verso la volgarità, perché è più disponibile alle no-vità e le adotta subito. Conserva invece le tradi-zioni più volgari.

In questi tempi l'unico modo di mostrarsi uo-mo di spirito è di essere seri. La serietà come solo umorismo accettabile.

Le belle arti considerate come un assassinio.
(Cocteau)

Stile «commesso»:
la cuenta, la dolorosa, lei m'insegna, si dà il ca-so, mi corregga se sbaglio, sarò un cretino ma

stile «liceo»:
una chicca, una frana, la fine del mondo

La prosopopea aquilana, la gola teramana, la lussuria chietina, l'avarizia sulmonese, l'accidia vastese.

La razza non è data dal colore della pelle ma dall'insensibilità al rumore.

Si crede di vivere, in realtà si aspetta per rinvia-re la morte. Questo, dopo una certa età.

La grazia con la quale Anne dice «il nombrile».

Al Museo Correr il Maestro dei Cassoni Jarves, le storie di Alatiel la principessa di Babilonia della novella del Boccaccio.

Dans toute minorité intelligente il y a une majorité d'imbéciles.

(Malraux)

Qui ne se plaît pas en sa propre compagnie n'a généralement pas tort.

(Coco Chanel)

J'appelle journalisme tout ce qui sera moins intéressant demain qu'aujourd'hui.

(André Gide)

18 gennaio – Muore Nicola Chiaromonte, grande uomo, grande amico.

La «glossolalia» o il parlar strano esercita, come diceva S. Paolo, un'invincibile attrazione sugli imbecilli.

Se i popoli si conoscessero meglio, si odierebbero di più.

Le donne scrivono per vendicarsi.

Come tutti gli egoisti di buon cuore non sopportava la vista delle persone che rendeva infelici.

(Wilde)

I cani orinano continuamente e dappertutto per stabilire i confini del loro territorio. Un po' come M., che orina anche nel «Corriere della Sera».

La Natura è un catalogo di mostruosità che tendono a conservarsi e a riprodursi. L'Uomo può essere spiegato come un errore della Natura perché riuscirà a distruggerla, insieme a se stesso.

Pasqua 1972

Il papa alla televisione benedice la folla in Piazza S. Pietro e dà la buona Pasqua in molte lingue (come le edizioni del Reader's Digest).

I versi del poeta innamorato non contano.

Oscar Wilde, sbarcando a New York: «L'Oceano mi ha molto deluso».
Le Corbusier, sbarcando a New York, a un giornalista che gli chiede che cosa pensa dei grattacieli: «Sono troppo bassi».

Non sono mai stato deluso da nessun paese, la Grecia, la Spagna, l'Olanda, la Germania, gli Stati Uniti, il Canada, l'Inghilterra, l'India, il Siam, la Palestina, etc., tutti questi paesi mi hanno subito conquistato. (Essere conquistato da un paese è più difficile che conquistarlo).

Il figliol prodigo, alla morte del padre, ereditò tutto il patrimonio e lo lasciò a sua volta a un suo figlio avaro, il quale a sessant'anni scappò con una ballerina.

«Io ti amo» disse l'uomo alla ragazza. E costei: «Dammi una prova». «Subito» disse l'uomo. «Se mi dirai di sì, passerò il resto della mia vita a renderti infelice».

La pittura è arte della memoria.

La notte di S. Giovanni, in un villaggio di pescatori siciliani, la Vergine dei Sette Dolori si spoglia del manto di velluto che nasconde la statua antica, toglie i pugnali che trafiggono il suo cuore di marmo, e va sulla spiaggia. Qui le ninfe e i centauri le fanno festa. Eros arriva ad ali spiegate per salutare la Bellezza tornata sulla Terra, per abbracciare sua madre. Ma all'alba ella si rimette la cappa di dolore sulle spalle di marmo. Eros la supplica di non lasciarlo. «Devo tornare là donde vengo... Sappiatelo, ho un altro figlio che ha molto sofferto».

(Oscar Wilde, riportato da John Ricketts)

Il Sesso non si può fissare a lungo senza perdere la vista.

Il sesso non esiste in natura. È pura immaginazione, quindi insaziabile – ineducabile.

La ragazza baciò il ranocchio e divenne una rana.

Cristo, che non è morto sulla croce ed è potuto uscire dalla tomba, ritorna a Betlemme per riprendere il mestiere di falegname. Vede tutto stupito i progressi del cristianesimo. Un giorno San Paolo viene a predicare nel villaggio. Gesù è il solo a non scomodarsi, ma da quel giorno si nasconde sempre le mani.

(Oscar Wilde, raccontato da Yeats)

La signora aveva compiuto 100 anni ma per vergogna, o civetteria, se ne calava due.

25 luglio 1972

Verso Pescara. La figlia di Jorio fa le marchette alle Gole di Popoli.

Perché a una certa età è difficile tornare, anzi restare dopo esservi tornato, nel paese natale. I tuoi compaesani sono à la page, tu sei rimasto indietro, nella grande città. Tu sogni la vita semplice, le amicizie senza implicazioni, sei nelle buone letture, hai capito che l'oro è la merda del diavolo (oh, la ripugnanza nel ricevere un assegno da versare in banca!): lì invece credono ancora che la felicità sia nel darsi da fare, sia altrove. Sono fieri delle loro conquiste tecnologiche, tutti hanno una barca a motore, tutti credono nell'arredamento.

La cuenta, la dolorosa, lei m'insegna, qui lo dico e qui lo nego, si dà il caso, la mia vecchia, panoramico, una chicca, una frana, la fine del mondo, un fustaccio.

Museo Correr: come si elegge il Doge.
Dal Maggior Consiglio si cavano a sorte 30;
dai quali si cavano 9 (nove);
i quali eleggono 40;
dai quali si scelgono 12;
questi eleggono 25;
dai quali si cavano 9;
questi eleggono 45;
dai quali si cavano 11;
questi eleggono 41:
fanno il Serenissimo almeno 25 palle bianche
ma prima confermato dal Maggior Consiglio.

Credevo che un'officina comandata da operai
fosse una cosa giusta. Poi ho capito che l'officina non è giusta *in sé* – che sia diretta da operai
o da capitalisti è sempre un'officina, cioè un
luogo di pena.

I romani vestiti da hippies sembrano scampati
da un incendio.

16 agosto – Morte di Vincenzo Talarico – buon
amico.

Pier Paolo Pasolini, col suo Decamerone, è la
scimmia che ha aperto la gabbia alla tigre. Al-
l'antica tigre italiana dei cessi, dei casini, dei
corpi di guardia, dei goliardi e, tutto sommato,
dei turpi porcaccioni.

PICCOLA BIBLIOTECA ADELPHI

ULTIMI VOLUMI PUBBLICATI:

410. Arthur Schopenhauer, *L'arte di farsi rispettare* (13ª ediz.)
411. Albert Caraco, *Breviario del caos* (3ª ediz.)
412. Ingeborg Bachmann, *Il dicibile e l'indicibile* (2ª ediz.)
413. Aleksandr Puškin, *La dama di picche e altri racconti* (2ª ediz.)
414. René Daumal, *Il lavoro su di sé* (2ª ediz.)
415. Vladimir Nabokov, *L'occhio* (2ª ediz.)
416. Tommaso Landolfi, *Tre racconti* (2ª ediz.)
417. V.S. Pritchett, *Amore cieco* (5ª ediz.)
418. Alberto Savinio, *Infanzia di Nivasio Dolcemare*
419. Alberto Arbasino, *Paesaggi italiani con zombi*
420. *Carissimo Simenon · Mon cher Fellini.* Carteggio di Federico Fellini e Georges Simenon
421. Leonardo Sciascia, *Cronachette* (2ª ediz.)
422. Mehmet Gayuk, *Il Gineceo*
423. Luciano Canfora, *Il mistero Tucidide* (3ª ediz.)
424. Jeremias Gotthelf, *Elsi, la strana serva* (2ª ediz.)
425. Meister Eckhart, *Dell'uomo nobile* (2ª ediz.)
426. Chiara d'Assisi, *Lettere ad Agnese · La visione dello specchio*
427. Simone Weil, *Lezioni di filosofia* (2ª ediz.)
428. James Hillman, *Puer aeternus* (6ª ediz.)
429. *Il libro dei ventiquattro filosofi* (2ª ediz.)
430. Jakob e Wilhelm Grimm, *Fiabe* (2ª ediz.)
431. W. Somerset Maugham, *In villa* (9ª ediz.)
432. Elena Croce, *La patria napoletana*
433. Adalbert Stifter, *Il sentiero nel bosco* (4ª ediz.)
434. Arthur Schnitzler, *Novella dell'avventuriero* (4ª ediz.)
435. Rudyard Kipling, *Il risciò fantasma e altri racconti dell'arcano* (2ª ediz.)
436. Manlio Sgalambro, *Trattato dell'età* (2ª ediz.)
437. Arthur Schopenhauer, *L'arte di insultare* (9ª ediz.)
438. V.S. Pritchett, *La donna del Guatemala*
439. Mazzino Montinari, *Che cosa ha detto Nietzsche*
440. François René de Chateaubriand, *Di Buonaparte e dei Borboni*, a cura di C. Garboli
441. Alberto Arbasino, *Le Muse a Los Angeles*
442. Eduard von Keyserling, *Afa* (2ª ediz.)
443. Salustio, *Sugli dèi e il mondo* (2ª ediz.)
444. Bruno Barilli, *Il Paese del melodramma*

445. Georges Bataille, *Il limite dell'utile*

446. Tim Parks, *Adulterio* (2ª ediz.)

447. Ivan il Terribile, *Un buon governo nel regno*

448. Albert Ehrenstein, *Tubutsch*

449. Vladimir Dimitrijević, *La vita è un pallone rotondo* (3ª ediz.)

450. Richard P. Feynman, *Sei pezzi facili* (4ª ediz.)

451. Guido Ceronetti, *La carta è stanca*

452. Guido Rossi, *Il ratto delle sabine* (2ª ediz.)

453. Nina Berberova, *Il quaderno nero*

454. Tommaso Landolfi, *Ottavio di Saint-Vincent*

455. Alfred Polgar, *Manuale del critico*

456. Jamaica Kincaid, *Un posto piccolo*

457. Arthur Schopenhauer, *L'arte di trattare le donne* (5ª ediz.)

458. Alberto Savinio, *Tragedia dell'infanzia*

459. Nicolás Gómez Dávila, *In margine a un testo implicito* (2ª ediz.)

460. Sergio Quinzio, *Religione e futuro*

461. Alan Bennett, *Nudi e crudi* (12ª ediz.)

462. D.H. Lawrence, *La donna che fuggì a cavallo*

463. Lord Chesterfield, *Lettere al figlio* (2ª ediz.)

464. Martin Heidegger, *Che cos'è metafisica?*

465. Plutarco, *Del mangiare carne*

466. Tommaso Landolfi, *La spada*

467. Hans Bellmer, *Anatomia dell'immagine*

468. René Guénon, *L'esoterismo di Dante*

469. Jorge Luis Borges, *Nove saggi danteschi* (2ª ediz.)

470. Pierre-Jean Jouve, *Il Don Giovanni di Mozart*

471. Luciano Canfora, *Convertire Casaubon*

472. Adalbert Stifter, *Due sorelle*

473. Ferdinando Tartaglia, *Tesi per la fine del problema di Dio*

474. Ennio Flaiano, *Diario degli errori* (2ª ediz.)

475. Giulio Cattaneo, *L'uomo della novità*

476. Alan Bennett, *La cerimonia del massaggio* (2ª ediz.)

477. V.S. Naipaul, *Leggere e scrivere*

478. Aldo Buzzi, *L'uovo alla kok* (3ª ediz.)

479. Arthur Schopenhauer, *Il primato della volontà*

480. Johannes Urzidil, *Di qui passa Kafka*

481. James Hillman, *L'anima del mondo e il pensiero del cuore*

Stampato nel luglio 2002
dalla Techno Media Reference s.r.l. - Milano

Piccola Biblioteca Adelphi
Periodico mensile: N. 474/2002
Registr. Trib. di Milano N. 180 per l'anno 1973
Direttore responsabile: Roberto Calasso